RIES ⑧

ンギスの陵墓

［下］

ジェームズ・ロリンズ

桑田 健［訳］

The Eye of God
James Rollins

シグマフォース シリーズ⑧

竹書房文庫

THE SIGMA FORCE SERIES
THE EYE OF GOD
by James Rollins

Japanese translation rights arrangement with
BAROR INTERNATIONAL
through Tuttle-Mori Agency Inc., Tokyo

目次

下巻

主な登場人物

グレイソン（グレイ）・ピアース……米国国防総省の秘密特殊部隊シグマの隊員
ペインター・クロウ……シグマの司令官
モンク・コッカリス……シグマの隊員
キャスリン（キャット）・ブライアント……シグマの隊員。モンクの妻
ジョー・コワルスキ……シグマの隊員
ダンカン・レン……シグマの隊員
セイチャン……ギルドの元工作員
レイチェル・ヴェローナ……イタリア国防省警察の中尉
ヴィゴー・ヴェローナ……ヴァチカン機密公文書館の館長。レイチェルのおじ
ジェイダ・ショウ……米国の天体物理学者
ヨシプ・タラスコ……イタリアの神父。ヴィゴーの友人
グアン・イン……香港のドゥアン・ジー三合会の龍頭
ジュワン……グアン・インの側近
ジュロン・デルガド……マカオの裏社会のボス
パク・ファン……北朝鮮の科学者
バトゥハン……モンゴルの有力者
アルスラン……モンゴルの若者
サンジャル……モンゴルの若者

チンギスの陵墓　下

シグマフォース　シリーズ　⑧

ユーラシア大陸

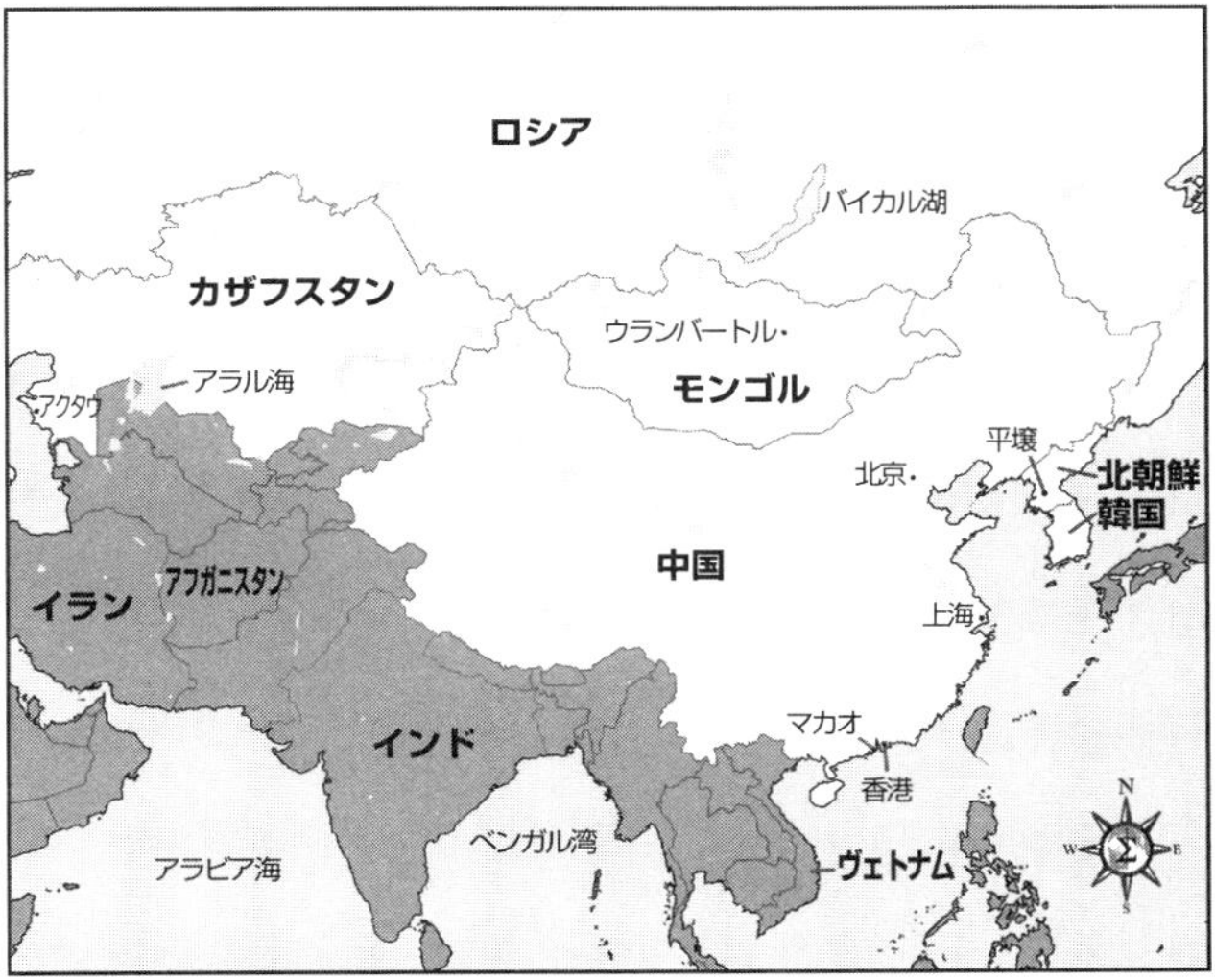

ロシア
バイカル湖
カザフスタン
ウランバートル・
アラル海
アクタウ
モンゴル
平壌
北京・
北朝鮮
韓国
中国
アフガニスタン
イラン
上海
マカオ
インド
香港
ベンガル湾
アラビア海
ヴェトナム
N
W
E
S

第二部　聖人と罪人〈承前〉

15

十一月十八日　キジルオルダ時間午後九時四十一分
カザフスタン　アラル海

砂と塩を巻き上げながら離陸するユーロコプターの機内で、レイチェルはおじのことを気にかけていた。おじとヨシプは額《ひたい》を寄せ合いながら、会話に没頭している。隣り合わせに座る二人は、まるで遠足に出かける前の小学生のように興奮した様子だ。けれども、二人とももう若くはない。

特におじは。

本人は元気な風を装っているが、老いは確実に忍び寄っている。ほんの少し前、おじがヘリコプターに乗り込む時にも、レイチェルはそのことをはっきりと見て取った。以前のおじなら足取りも軽く飛び乗っていたのに、さっきは手を貸してあげなければならなかった。今回の旅行の前から、レイチェルは様々な場面で同じような状況を目にしていた。二カ月ほど前には面と向かって本人に伝えたこともある。けれども、ヴィゴーはレイチェルの心配を受け流した。

外での仕事よりも机に向かう時間が多くなったせいだと言って、まともに取り合おうとしなかった。仕事のスケジュールを見直し、ヴァチカンでの負担を軽減してはどうかと提案したこともある。だが、そんな意見は全速力で疾走する貨物列車にスピードを落とせと指示するようなものだった。

今回の旅行中、レイチェルの懸念は募る一方だった。近頃はおじとあまり会うことができず、たまに家族で食事をしたり、休暇の時に顔を合わせたりするくらいしか機会がなかった。ところが、この二十四時間をおじと一緒に過ごすうちに、単なる老いのせいではないのではないかという思いを抱くようになった。大学の研究室で会った時には、目のまわりにくまができていた。今も息遣いが荒いし、左の脇腹を手で押さえる仕草も気になる。けれども、レイチェルが見ていることに気づくと、おじはすぐにその手を離してしまう。

何かを隠しているのではないだろうか？

そのことがレイチェルの不安を駆り立てていた。世界の終わりよりも、その方が怖い。

レイチェルがバスの事故で父親を亡くした後、その代わりになってくれたのがおじのヴィゴーだった。レイチェルが心を痛めていると察したヴィゴーは、彼女の手を引っ張って前に進ませてくれた。ローマの博物館巡り、フィレンツェへの旅行、カプリ島でのダイビング。女性だからという理由で妥協することなく、自分の希望する道に進むよう導いてくれたのもおじだ。歴史や美術への敬意と愛を植え付けてくれたのも。人類による最高の表現の数々は、大理石と花崗岩《かこう》、絵の具とキャンバス、ガラスとブロンズという形で示されていることを教えてくれたのも。

そんなおじを守りたいという気持ちがないはずはない。ローマで恐怖に怯《おび》えたレイチェルは、ヴィゴーを外に出すまいとした。本人の意志とは異なることを承知のうえで、危険から遠ざけようとした。だが、目の前のおじは、笑顔を浮かべながら心を躍らせている。そんな姿を見ていると、自分が間違っていたと認めざるをえない。あとどれだけの年月を一緒に過ごすことができるのかはわからない。けれども、今度は自分がおじの手を引っ張る番なのだ。必要な時に力を与え、前へと進ませるために。

おじは自分に世界を見せてくれた――そんなおじから世界を奪い取ることはできない。

そう心に決めると、レイチェルは眼下に広がる荒涼とした景色に注意を向けた。ヘリコプターは錆《さ》びついた船から離れて針路を北に取り、より荒れ果てた不毛の地域へと向かっていく。月明かりを浴びて銀色に輝く乾き切った塩原《えんげん》が、果てしなく続いている。大きな岩や腐食したほかの船が点在し、白っぽい色をした小高い丘もところどころに見える。

レイチェルは機体の下の盆地が再び水を満々とたたえている姿を想像した。平原が水面下に没し、小高い丘が島に変わる。一行が向かっているのは、四十キロほど北東に位置するかつての島だ。乾いた塩と砂の海にぽつんと浮かぶ小さな島――そこを指し示しているのは、今は亡き征服者の舌に記された地図。

レイチェルはおじと同じ興奮を覚えている自分を否定することができなかった。いったい何が見つかるのだろうか？　機内の全員が謎に興味を引かれている。さっきまで乗り気ではなかったジェイダ・ショウさえも。彼女はシグマの新隊員のダンカンと一緒に、窓の外の景色を眺めている。二人ともまだ若い。熱意が全身からにじみ出ている。

モンクがレイチェルの視線に気づき、笑みを浮かべた。「昔は俺たちも若かったなあ」そう言っているかのような笑顔だ。モンクも今では愛する妻がいて、二人の娘の父親でもある。任務中に負った傷跡を隠そうともしない。義手までもが名誉の勲章のように見える。

レイチェルは座席の背もたれに体を預けた。仲間に囲まれていることで幸せを感じる。モンゴル人の若者のサンジャルの手首にはハヤブサが止まっていて、体をぴったりと寄せている。目を見張るような鮮やかな銀白色の羽毛には、黒と濃い灰色の縞模様がある。

ハヤブサを見つめているレイチェルに気づき、サンジャルがうなずいた。

「この鳥は何ていう種類なの？」レイチェルは訊ねた。

サンジャルが背筋を伸ばした。ハヤブサに興味を示してもらえたのがうれしそうだ。「シロハヤブサです。ハヤブサ属の中で最も大きな種の一つなんです」

「きれいな鳥ね」

サンジャルは白い歯を見せて笑った。「こいつに聞こえていなければいいんですけど。ヘルはただでさえうぬぼれが強いので」

「でも、大人しくしているのね」

サンジャルは房の付いたフードに指で触れた。「鳥は目が見えない時に動いてはいけないと知っているのです。フードをかぶせられたハヤブサは、ハンドラーを信頼して身動き一つしません。昔の貴族はハヤブサを宮廷や晩餐会《ばんさん》に同伴しました。ハヤブサを連れて馬にも乗ったそうですよ」

「今ではヘリコプターにも乗るのね」

「僕たちも時代に適応しないといけませんから。ハヤブサの飼育の歴史はチンギス・ハンの時代にまでさかのぼります。戦士たちはハヤブサを使ってキツネ狩りをしていました。時にはオオカミも狩りの対象だったらしいですよ」

「オオカミですって？　本当なの？　そんなに大きな動物を？」

サンジャルはうなずいた。「オオカミにとどまりません。人間を狩ることもありました。事実、チンギスの専属ボディーガードはハヤブサ使いだったんです」

「それなら、あなたはその誇りある伝統を引き継いでいるのね、サンジャル。今もチンギスを見守り続けているのだから」

「ええ。従兄弟《いとこ》と僕は」サンジャルは前の列に座るアルスランに目を向けた。「偉大なる先祖を敬愛しています」

操縦士の声が割り込んできた。「目標地点まであと一分ほどです。すぐに着陸しますか？

それとも、その前に上空から確認しますか？」

ヴィゴーが身を乗り出しながら答えた。「ひとまず上空を旋回してくれないか。役に立つ情報が得られるかもしれない」

アラルクム砂漠の上空を飛行するヘリコプターの機内から、全員が窓の外に視線を向けた。このあたりは塩原がひときわ明るく輝いている。前方の乾き切った大地の上に薄暗い丘が見えてきた。風化の進んだ丘の側面は傾斜の急な斜面になっていて、頭頂部が少し窪んでいる。一艘《そう》の船が高波に持ち上げられているような形に見えなくもない。

ヘリコプターは上空を二度旋回したが、特に気になるような情報を得ることはできない。

「ここでの捜索のためには着陸しなければならない」ヨシプが宣言した。

モンクが操縦士に向かって叫んだ。「着陸してくれ！　あの丘からできるだけ近い地点に」

操縦士は苦労しながらも、巧みな操縦でヘリコプターを丘から風下側に約十メートル離れた地点に降下させた。

「だいぶ風が強まっています」操縦士が警告した。「寒冷前線が近づいてきているに違いありません」

ヘリコプターの扉を開けると、外は操縦士の気象情報通りだった。気温が一気に数度も降下する。丘の陰に位置しているにもかかわらず、レイチェルはジャケットの中に冷気が入り込んでくるのを感じた。

一行は機体の外に出た。

靴の下で塩が乾いた音を立てる。周囲には奇妙な景色が広がっていた。かたい地面の上にフライドポテトを大量にばらまいたかのような光景だ。レイチェルが体をかがめて指でつまむと、フライドポテトのように見えたのは塩の結晶だった。両端がとがっていて、指と同じくらいの太さがある。大地から無数の指が突き出ているかのような姿は、とてもこの世のものとは思えない。

レイチェルの隣に立つヨシプは、地質学上の驚異には目もくれず、丘を見上げていた。目の前には急峻《きゅうしゅん》な崖があり、崩れ落ちた砂や大きな岩が斜面の下にたまっている。

「まずはここのまわりを調べてみようじゃないか」ヨシプが提案した。各自に懐中電灯が配られる。

ヴィゴーもうなずいた――だが、脇腹に手のひらを添えたままだ。

レイチェルはおじに歩み寄って肩を差し出し、つかまるように促した。「さあ、もう年なんだから。このために私は同行したんでしょ……」

ヴィゴーがレイチェルの顔をにらみつけたが、怒っているような表情は見られない。ヴィゴーは素直にレイチェルの肩につかまった。二人は塩の結晶に覆われた大地を並んで歩いた。

ヴィゴーはしばらくレイチェルの肩に支えてもらっていたが、十分もするとその手を離し、何事もなかったかのように一人で歩き始めた。レイチェルはそんなおじが気がかりだったものの、おじの方から話をしてくれるまで待とうと心に決め、問いただすことを控えた。

モンクが歩み寄ってきた。彼もおじの体調がおかしいことに気づいているようだ。気遣うような表情を浮かべている。けれども、いつものようにレイチェルの心情を察したのか、そのことについては何も言わなかった。その代わりに、別の気がかりな点を口にした。

モンクはとがった結晶に覆われた周囲の大地を見回した。「最近このあたりを訪れた人間はいないみたいだな」

レイチェルもそのことに気づいていた。「足跡がないわね」

塩の結晶はもろいうえに、これほどの大きさにまで成長するには何年もかかるだろう。誰かがここを歩いたとすれば、踏みつぶされた塩の跡が残っているはずだ。

一行は丘の風下側から風上側に移動した。強風が容赦なく吹きつける。顔に砂粒が当たり、口に入ると苦みがある。

サンジャルは手袋をはめた手に止まったハヤブサを落ち着かせるのに苦労していたが、やがてフードを外して鳥を空に放った。たとえ強風の中であっても、自由に翼を羽ばたかせた方がハヤブサも不安を感じずにすむと判断したのだろう。ヘルが夜空を舞う。銀色の翼が月明かりを反射している。

サンジャルの従兄弟が地平線の方角を指差した。砂に覆われた平原と星空との間のくっきりとした境目が、そのあたりだけぼやけて見える。

「嵐が来る」アルスランが警告した。

「黒いブリザードだ」サンジャルははっきりと告げた。

手をかざして風をよけながら、レイチェルは砂と塩と塵《ちり》が渦巻く壁に目を凝らした。ここで発生する嵐には有害物質が含まれているというおじの警告が頭によみがえる。

「あいつが到達する時にはここにいない方がいい」アルスランが意見を述べた。

反対意見はなかったため、ペースを速めて調査を継続することになった。

数メートルも進まないうちに、全員がハンカチで顔の下半分を覆っていた。ハンカチはサンジャルが各自に配ってくれたものだ。干上がった湖底を常に強風が吹き荒れるこの地域では、そのような準備が不可欠なのだろう。それでも、容赦なく吹きつける砂粒と風の冷気にさらされ、むき出しになった部分の肌がぼろぼろと剝《は》がれていくかのように感じる。

強風を浴びながら、一行は丘の麓《ふもと》に沿って歩いた。一列に並んで懐中電灯の光を揺らしながら、切り立った崖と地面から牙のように突き出した岩との間を進む。おそらくかつての岩《がん》礁《しょう》の名残だろう。少しでも風除けになってくれるのであればありがたい。

前方で叫び声があがった。

レイチェルは声のした方へと足早に向かった。全員がヨシプのまわりに集まっている。ヨシプは懐中電灯の光を足もとに向けていた。その光に照らされて、崖の下の岩肌に大きな裂け目が口を開けている。だが、レイチェルは神父が大騒ぎしている理由にすぐには気づかなかった。

「あれは馬の頭のように見えないかね？」ヨシプが懐中電灯の光でその特徴的な岩を照らした。「鼻を上に向け、耳を立て、首を伸ばしている」

一歩下がってその岩を見ると、確かにヨシプの言う通りだった。渦巻く砂に埋もれながらも、必死に頭を持ち上げようとしている馬に見える。

「エクウス」ヴィゴーが声にならない声を漏らした。「舌に記されていた通りだ」

ヨシプはうなずいた。その目は爛々《らんらん》と輝いている。

モンクが裂け目の前にひざまずき、自分の懐中電灯で内部を照らした。「通れるだけの広さはありそうだな」

「トンネルなの？」ジェイダが訊ねた。

ダンカンは崖の表面を見上げている。「そうだとすれば、かつては水中トンネルだったはずだ。湖が水をたたえていた頃、この入口は水面下にあったに違いない」

ヨシプがヴィゴーの顔を見た。「ハンガリーのティサ川と同じだ。川底の墓への秘密の入口が姿を見せるのは、旱魃《かんばつ》の時だけだったじゃないか」

「それなら、ここでぐずぐずしている必要はないんじゃないですか？」モンクが促した。

危険があるといけないので、モンクが先頭に立って裂け目の中に入った。ほかの人たちも急いで後に続く。

ヴィゴーがレイチェルに視線を向け、満面の笑みを浮かべた。興奮を抑え切れないでいる様子だ。

これこそがおじの生きがいなのだ。

レイチェルはそのせいでおじの寿命が縮まらないことを祈った。

午後十時三十七分

ヴィゴーは四つん這いになってヨシプの後を追っていた。

トンネルは予想していたよりも高さがあったものの、義手を使って崩れた岩や積もった砂や結晶化した塩を取り除いてくれるモンクがいなかったら、かなり苦しい道のりだったはずだ。

モンクはまるで人間掘削機《くっさく》のように、かつての島の奥深くへと掘り進んでいく。

「数メートル先で道が開けているみたいだ！」モンクが声をあげた。

その一分後、モンクの予想は当たった。

モンクの懐中電灯の光が視界から消え、ぼんやりとした輝きだけが見える。それに続いてヨシプもトンネルから這い出た。友人は立ち上がったものの、そのまま動こうとしない。ぐらりと体が傾く。衝撃を受けている様子だ。

心臓の高鳴りを感じながら、ヴィゴーもトンネルを抜けてその先の空間に出た。

ヴィゴーは立ち上がると、唖然《あぜん》としながら懐中電灯の光を高く上に向けた。何本もの懐中電灯の光が、思いがけない光景を照らし出す。

目の前には塩で完全に覆われた広大な空間が広がっていた。ドーム状の白い天井からは、結晶化した塩が鍾乳《しょうにゅう》石のように垂れ下がっている。足もとから半透明の牙のように突き出しているのは石筍《せきじゅん》だ。天井から床までつながった塩の柱が形成されているところもある。ありとあらゆる表面に銀白色の結晶がこびりついていた。

後からトンネルを出てきた仲間も、一様に驚きの声をあげている。

最後に出てきたのはダンカンだった。「こいつは驚いたな、ちびって――」

あんぐりと口を開けたまま空間内を見回していたヨシプがダンカンの言葉を遮った。「この洞窟も水中にあったに違いない。水がゆっくりとここから引いていく過程で、塩分だけが残ったのだよ」

「ほかにも残っているものがあるはずだ」そう言いながら、ヴィゴーは室内を指差した。「チンギスの遺物を探さなければならない」

手分けしてこの空間内を捜索することになった。慎重に床の上を進みながら移動する。足もとが外と同じく指のような形の結晶で覆われているので歩きにくい。しかも、ここには人の太腿くらいの太さの結晶もあり、太い柱が傾いて別の柱にもたれかかっている姿は、塩の森の木が切り倒されたかのような光景だ。

一歩進むたびに、結晶の砕ける音が壁面にこだまする。潮の香りを含んだ空気のせいで目がひりひりする。

ジェイダとダンカンが小声で会話をしているが、狭い空間内に反響して二人の声がはっきりと聞こえる。「何百年にもわたって水面が上下を繰り返していた過程で、このような堆積物が生成されたのよ」

「それと地上に降り注ぐ雨だ」ダンカンが応じた。「地中に含まれる塩分が上からしみ出したのだろう」

ジェイダは天井を見上げた。「チンギスの時代には、この洞窟は完全に水没していたわけではなかったのかもしれないわ。けれども、中に入るためには水中を泳いで入口までたどり着かなければならなかったのよ」

〈おそらく、二人の言う通りだろう〉

ヴィゴーは不意に疲れを感じた。考古学というのは若い人間のためにある学問だという思いを新たにする。ヴィゴーは一息入れようと、電柱ほどの太さのある塩の柱に手をついて寄りかかった。これくらいの太さがあれば体重を支えてくれるはずだと思ったからだ。だが、手を置いた途端、もろい柱は真っ二つに折れてしまった。

たまたま近くにいたモンクとレイチェルがすぐに体を引っ張り、身を挺《てい》して守ってくれたおかげで、ヴィゴーは降り注ぐ結晶のかけらやもっと大きな塊の直撃を免れることができた。

「気をつけてよ、おじさん」そう注意しながら、レイチェルはヴィゴーをしっかりと立たせ、肩にかかったきらきらと輝く粉末を払った。

「ここを見てくれ」モンクが折れた柱の根元の部分を指差した。床の近くの柱はフレアスカートのように太くなっている。

ヴィゴーは懐中電灯をモンクが指差す先に向けた。半透明の柱の中心部分に光を当てる。柱の中に埋め込まれた何かが、懐中電灯の光を反射している。

「ここに何かがある！」ヴィゴーは知らせた。

全員がまわりに集まり、各自の懐中電灯を向けた。塩の中に保存されていたものの姿が次第に明らかになる。

ヨシプが片膝を突いた。「石でできた台座のようだ。箱らしきものが乗っている」

ヴィゴーを見上げる友人の瞳には、驚嘆の色が浮かんでいた。

「ハンガリーの司教が語ったアッティラの墓と同じだ！」ヴィゴーは興奮を抑え切れなかった。

「これに間違いない」

ヨシプが立ち上がった。「塩の中から取り出さなければ！」

アルスランが道具の入った小さなかばんを持ってきた。ハンマーと鑿《のみ》とブラシを手に、ヨシプはアルスランとともに太さのある柱の基部を削り始めた。

作業が進むと、箱は思いのほか大きいことがわかってきた。高さは三十センチほどで、長さはその二倍くらいある。

ヨシプが黒い箱の表面から結晶の粉末を払い落とした。数カ所に鑿の跡が付いてしまっている。ヨシプはそんな傷跡の一カ所を爪でほじくり始めた。「黒ずみの下は銀みたいだ」

すでに箱の半分があらわになっている。ヴィゴーは顔を近づけた。「君の言う通りのようだ。しかも、こちら側には蝶番《ちょうつがい》がある」

間もなく、箱の残りの部分も塩の中から掘り出された。最後にアルスランが鑿を一振りすると、台座の上の箱が大きく動く。

作業を終えたアルスランが柱から離れた。

ヴィゴーはヨシプに向かって合図した。「君が開けるといい。君にはその権利がある」

ヨシプがヴィゴーの手を握り締めた。高まる期待に言葉を失っている様子だ。ヴィゴーの手を握るヨシプの指が、細かく震えている。

ヨシプは意を決してふたを両手でつかみ、かすかに開いた。塩のこびりついた蝶番が耳障りな音を立てる。さらにふたを持ち上げると、箱の手前側の板が倒れた。こちら側は底の面と蝶番でつながっているのだろう。

レイチェルが手で口を覆いながら後ずさりして箱から離れた。「これはいったい……」

午後十一時二分

　ヴィゴーの姪が後ろに下がったため、ダンカンは箱の中身をはっきりと見通せるようになった。

　小さな船の模型のようだ。大きく弧を描いた竜骨が、こぶのある船首斜檣《しゃしょう》につながっている。側面は湾曲させた細い板を接合してある。二本のマストが正方形の帆を支えていた。二枚の帆はいずれも閉じたブラインドのように畝《うね》が付いている。

「宋王朝のジャンクに似ている」ヴィゴーが言った。「中世にはこのような船が中国の周辺海域や河川を航行していたのだ」

　レイチェルが首を左右に振った。「でも、この船は肋骨と椎骨《ついこつ》でできている。それに帆は乾燥した人間の皮膚だわ」

　ダンカンが近づいてよく見ると、確かに彼女の言う通りだった。船の側面の湾曲した細い板は肋骨、こぶのある船首斜檣は椎骨だ。帆が人間の皮膚でできているという意見も間違いないように思える。

「チンギスの体だ」モンクがつぶやいた。

「本当にそうなの？」レイチェルが訊ねた。

「サンプルをローマの例のDNA研究所に送ればいい」ヴィゴーは答えた。「一日あれば結果がわかるだろう」

ジェイダがダンカンを肘で突きながら提案した。「今すぐにわかる方法もありますよ」

全員の視線が集まる。

ダンカンはその意味を理解した。「彼女の言う通りです」ダンカンは両手を上げ、指先を動かした。「もしこの組織が同じ人間のものであれば、すぐにわかります」

全員が脇にどくと、ダンカンは船に近づき、両手を伸ばした。指先で船の湾曲した側面に触れると、すぐに同じ圧力を感じる。前の遺物の時と同じ、特有のエネルギー場だ。今度は場の色まで感じ取ることができる。適切な言葉では表現できないエネルギー場の微妙な差異を示す際に、そのような言い方をすることがある。

目の見えない人に青とはどういう色かを説明するような感じだ。あえてこのエネルギー場を表す色を選ぶとしたら、黒だろうか。

ダンカンは船から手を離して指先を振った。それでも少しの間、全身にうずくような感覚が残る。

「間違いなく同じです」ダンカンは断言した。

その結論に対して誰かが反応するより早く、甲高い鳴き声が聞こえたため、全員がびくりと体を震わせた。サンジャルのハヤブサがトンネルを抜け、室内に飛び込んできた。サンジャルが腕を高く掲げると、ハヤブサは急降下し、翼をはためかせながら止まった。くちばしを開いて激しく息をしている。

「嵐がここまで到達したに違いありません」サンジャルはハヤブサの翼の砂を払い落とした。

「そろそろ戻らないと」

再び甲高い音が聞こえた。今度は無線の音だ。操縦士と話をしたモンクは、サンジャルの推測が正しいことを告げた。

「すぐに出発するべきだと言っている」モンクがダンカンを見ながら箱を指差した。「ふたを閉めて持ち帰るぞ」

ヨシプとヴィゴーに手伝ってもらいながら、ダンカンはふたを再びしっかりと閉め、黒ずみの付いた箱を両手で抱え上げた。かなりの重さがある。この箱が本当に銀でできているのなら、相当な価値になるだろう。

箱を持ったまま再びトンネル内を移動する時は、モンクが手を貸してくれた。外に出ると、ハヤブサが飼い主のもとに急いで戻ってきた理由は一目瞭然だった。さっきまでの星空はすっかり隠れてしまっている。頭上は真っ黒な雲で覆われていた。砂が崖に吹きつける。西に目を向けると、気象条件はさらに悪そうだ。

一行は塩の結晶を踏みつぶした跡をたどりながら、来た道を戻った。横向きになって風を背にした姿勢を取らないと、思うように歩けない。視界はゼロに近い。ダンカンは小脇に箱を抱え、もう片方の手でジェイダの手を握っていた。ダンカンの前ではモンクとレイチェルがヴィゴーに手を貸し、サンジャルとアルスランがヨシプの体を支えている。

ようやく丘の反対側に回り込むと、嵐の猛威を直接受けることはなくなった。ダンカンたちの姿に気づいた操縦士がヘリコプターから降りて機体側面の扉を開け、大きく手を振りながら急ぐように促している。

わざわざ指示されるまでもない。

一行はひとかたまりになってヘリコプターを目指して走り、安全な機内に逃げ込んだ。全員が座席に着くのを待たずに、操縦士はヘリコプターを離陸させた。

車輪が地面から離れると、ヘリコプターは大きく旋回し、高さのある丘を風除けとして利用しながらしばらく低空で飛行した。風の影響を最小限に抑えつつ、嵐との間に距離を取らないといけない。

ダンカンたちはどうにか席に座り、シートベルトを締めた。

やがてヘリコプターは高度を上げ、嵐の前触れの風の影響で機体を大きく揺さぶられながらも、エンジンの出力を最大にして嵐から逃れ始めた。上下左右への激しい振動には、歯を食いしばって耐えるしかない。シートベルトの強度が試されているかのような揺れだ。

その後の数分間、誰一人として言葉を発しなかった。息をするだけでやっとの状態だったからだ。

嵐の勢力範囲から逃れると、ようやくヘリコプターの飛行が安定した。

「この先は順調に飛行できるはずです」そう告げる操縦士の声はまだ震えている。どうやらダンカンが思っていた以上にきわどい脱出劇だったようだ。

そのまま飛び続けるうちに、頭上には再び星が輝き始めた。

ダンカンは体を震わせながら大きく息を吐いた。「いやあ、スリル満点だったな」

ジェイダが唖然とした表情でダンカンを見つめた。

午後十一時三十三分

作戦基地の船まで戻る機内で、ヴィゴーは黒ずんだ銀の箱を観察していた。箱は座席の上に置かれていて、その隣に座るダンカンが片方の手のひらを乗せている。

ヴィゴーは箱の中身を思い浮かべた。だが、そのことに思いを巡らせているのは一人ではなかった。

「あの船の中には何か手がかりが含まれているに違いない」ヨシプがつぶやいた。「我々が次に向かうべき場所を示す何かが」

ヴィゴーは本の表紙に縫い合わされていた目のことを思い出した。秘密はその目の中に隠されていた。「おそらく君の言う通りだろう。君の図書館に戻ったら調べればいい。何かが発見できるはずだ」

ヨシプはヴィゴーの声に張りがないことに気づいたようだ。「どうかしたのか？」

ヴィゴーは気にするなと言うかのように手を振った。「疲れているだけだよ」ヴィゴーは嘘をついた。

「チンギスの遺物はあといくつ残されているのだろう？」ヨシプがつぶやいた。「あの偉大なるハンの体はいくつに分割されたのだろう？」

ヴィゴーは身じろぎした。こんな簡単なことにヨシプが気づいていないとは驚きだ。「残るはあと一つだけじゃないか」

ヨシプが顔をしかめた。「どうしてそんな——？」

そう言いかけたヨシプの目が輝いた。手のひらがヴィゴーの膝をぽんと叩く。「体は疲れているかもしれないが、頭は冴えわたっているようだな」

近くに座るモンクが二人の会話を聞きつけた。「体も頭も疲れ果てた人間に説明してもらえませんか？」

ヴィゴーはモンクにいたわるような笑みを向けた。「我々が発見したのは銀の箱だ」ダンカンの隣に置かれた箱を顎でしゃくる。「一方、ハンガリーの司教の話によると、アッティラの墓にあった箱は鉄でできていた」

ヨシプが興奮を抑え切れない様子で身を乗り出した。「ということは、最後の箱は、すなわちこの捜索における最大の宝が収められている箱は、金でできていることになる」

モンクも理解した。「使徒トマスの聖遺物が入っていたのは三つの箱だ。鉄と銀と金」

ヴィゴーはうなずいた。「つまり、チンギス・ハンの失われた陵墓《りょうぼ》まで、あと一歩のところにまで来ているということだ」

ダンカンが箱を手のひらで叩いた。「骨でできたあの船の謎を解くことができれば、ですけれど」

ヴィゴーはため息をついた。この難問を解決できるだけの力を与えてくれるよう神に祈りながら。

〈あともう少しだけでいいから……〉

操縦士がいい知らせを伝えた。「出発地点に戻ってきました。ところで、今夜はしっかりと戸締りをする必要があると思いますよ。人間にとっても動物にとっても、あまりありがたくない天気になりそうですから」

ヴィゴーははるか地平線上の嵐に視線を向けた。どうやら黒いブリザードは追跡をあきらめたわけではないらしく、勢力を維持しながらこちらに接近しつつあるようだ。

嵐の接近に備え、ヘリコプターは錆びついた船体の風下側に向かって急降下した。この巨大な船はこれまで何度も強風に耐えてきたはずだ。今回の嵐でもびくともしないだろう。

ヴィゴーは安心して座席の背もたれに体を預けた。

〈地下に入りさえすれば安全だ〉

16

十一月十九日　韓国標準時午前二時四十四分
韓国沖合

　セイチャンはアメリカ海軍のミサイル駆逐艦ベンフォールドの甲板の手すりにつかまって立っていた。借り物のパーカを羽織っているが、毛皮の付いたフードはかぶっていない。狭苦しい通路、大勢の乗組員、同じくすんだ色に塗られた窓のない部屋ばかりの船内にいると、息が詰まってしまう。

　外の空気を吸いたくなったため、セイチャンは甲板に出てきたのだった。寒さの厳しい夜で、星はダイヤモンドのような冷たい輝きを放っている。彗星《すいせい》までもが氷の塊を夜空に引きずっているかのように見える。

　船は韓国の領海内を南に向かって航行していた。これまでのところ、平壌《ピョンヤン》からの公式発表は何もない。北朝鮮の軍首脳は失敗を公に認めたくないのだろう。とはいえ、かなりきわどい脱出だったのは事実だ。グレイは今、衛生兵から傷の手当てを受けている。

セイチャンの頭の中に記憶がよみがえってくる。本能的に、生き延びることだけを考えて、拳銃の引き金を引いてしまった。運転手をバイクから振り落とすだけのつもりだった。それでも……

〈もう少しで彼を殺してしまうところだった〉

金属音とともに背後のハッチが開く。セイチャンは目を閉じた。今は誰にも邪魔をされたくない。足音が近づいてくる。人影がすぐ横に並んだ。ジャスミンの香りがする。その香りが、セイチャンを過去へといざなう。このままでは過去に引きずり込まれてしまう。すでにセイチャンの心の目には、太陽の光を浴びるつる植物が浮かんでいた。紫色の花や、そのまわりを飛び交う大きなハチの姿も見える。

セイチャンはその記憶を抑えつけた。

「チー」母が昔の名前で呼びかけた。母の唇から発せられたその名前は、こんなにも短い音なのに、こんなにも重い意味を持つなんて。

「セイチャンの方がいいわ」そう言いながら目を開く。「その名前で呼ばれた時期の方がずっと長いから」

手すりをつかむ自分の手のすぐ隣に、小さな手が並ぶ。触れてはいないのに、この寒い夜でもぬくもりが伝わってくるほどの近さだ。それでも、そのわずかな距離が、二人の間に存在する溝の深さを表している。

これまでセイチャンは、母との再会を幾度となく夢想してきた。けれども、これほどまでに他人行儀な場面を想像したことはない。この船まで移動する間、セイチャンは母の顔を食い入るように見つめていた。胸が痛くなるほどまで自分と似ているところにいくつも気づいた。眉の曲線、下唇のふくらみ、目の形。しかし、それは見知らぬ人間の顔でもあった。紫に変色した傷跡のせいでも、刺青《いれずみ》のせいでもない。もっと深いところにある何かのせいだ。

セイチャンが最後に母の顔を見たのは、九歳の時だった。二十年以上の時を経て、こうして再び母と出会った。自分はもうあの時の子供ではない。母もあの時の若い女性ではない。

「すぐに行かなければならないの」母が切り出した。

セイチャンは大きく深呼吸をしながら、自らの気持ちの動きを確かめた。涙がこぼれそうになる——今の母の言葉に対して、何の感情も湧き上がらなかったからだ。その事実が、セイチャンの心を打ちのめした。

「私には務めがあるわ」母は説明を始めた。「今なお危険な状態に置かれている人たちが、私の助けを必要としている人たちがいる。彼らを見捨てることはできないのよ」

今の言葉の裏にある皮肉に、思わず苦笑いが漏れそうになる。セイチャンは感情を抑えた。

だが、それでも母は気づいたようだ。

「あなたのことは探したのよ」長い沈黙の後、母は再び静かに口を開いた。

「知ってるわ」その話はグレイから聞いている。

「あなたは死んだと聞かされたの。それでも探し続けたのだけれど、探し続けることのつらさに耐えられなくなってしまったのよ」

セイチャンは自分の両手を見下ろした。手すりを強く握り締めるあまり、関節から血の気が引いてしまっている。そんな自分の反応を意外に思う。

「一緒に来てちょうだい」母が頼んだ。

セイチャンは返事をしなかった。長すぎる沈黙が続く。

「無理なのね。そうなんでしょう？」今にも消え入りそうな声だ。

「私にも務めがあるの」

再び沈黙が支配する。その沈黙はどんな言葉よりも大きな意味を持っていた。

「彼もどこかに向かうと聞いたわ。あなたも一緒に行くのね？」

返事をするまでもない。

母と娘はしばらく並んで立っていた。言いたいことはたくさんあるのに、伝えたいことはほとんどない。いったい何をすればいいのか？　傷跡を見せ合い、恐怖と流血の経験を分かち合い、生き延びるために何をしてきたかを教え合えばいいのか？　二人は無言のまま、並んで立っていた。

ようやく母が手すりから手を離し、後ずさりした。踵《きびす》を返しながら、小声で語りかける。

「私は永遠にあなたを失ってしまったの、チー？　あなたを取り戻すことはもう無理なの？」

母は甲板を後にした。ジャスミンの香りだけを残して。

午前三時十四分

グレイは会議用のテーブルにもたれながら立っていた。あまりの疲労のため、脚でしっかり体を支えていられる自信がなかったからだ。グレイとコワルスキは艦長の厚意で上級士官室を自由に使わせてもらっていた。乗組員がコーヒーをいれてくれたばかりか、スクランブルエッグとベーコンの乗った皿まである。

二人のアメリカ人工作員が北朝鮮から命からがら脱出する出来事など、毎日のようにあるわけではない。

負傷した肩は消毒してもらい、液体絆創膏をスプレーした上から包帯が巻かれている。かなり気分はよくなった。濃いコーヒーのおかげもある。

コワルスキは椅子に座って両脚をテーブルの上に投げ出している。おなかの上にあるのはベーコンの乗った皿だ。食べながら顎が外れそうなほど大きなあくびをしている。

グレイの前に設置された大型のＬＣＤモニターの電源がようやく入った。映像は機密扱いの通信網を経由してこの部屋に送信されている。ワシントンＤＣにあるシグマ司令部の通信室の映像が画面に表示された。

目の前に司令官の顔がある。その隣に座るキャットは、一心不乱にコンピューターのキーボードを叩いている。このビデオ会議のお膳立てをしてくれたのはキャットだった。

ペインターがグレイに向かってうなずいた。「ピアース隊長、どんな具合だ?」

「見ての通りですよ」

〈だが、このくらいですんでよかった〉

大変な目に遭ったのは間違いないが、セイチャンの救出に成功し、無傷で北朝鮮から脱出できた――厳密には「無傷」ではないが、かすり傷程度ですんだのなら上出来だ。

「地獄まで往復してきたような気分かもしれないが、すぐに別の任務に就いてもらう必要が生じた。それは可能か?」

「モンゴルに行くのですね」グレイは応じた。

すでにキャットから簡単な報告を受けており、墜落した軍事衛星を取り巻く状況に関してある程度の情報は得ている。

「率直に答えてもらいたい」ペインターが言った。「君とコワルスキは任務を継続するのに耐えられる状態にあると言えるか?」

グレイはコワルスキに視線を向けた。大男は肩をすくめ、ベーコンを一枚、口の中に放り込んだ。

「『耐えられる状態にある』のは間違いないですね」グレイは答えた。「途中で睡眠を取らせてもらえれば、万全の状態になれますけれど」

「よろしい。それなら、これを見てもらいたい」ペインターがキャットを見た。

キャットは片手でキーボードに入力しながら体の向きを変え、グレイの方に顔を向けた。

「ジョッシュ・ルブラン中尉につなぐから。場所はマクマード基地」

「南極の？」

「そうよ。調査チームとともに基地から約百キロ離れたロス棚氷《たなごおり》にいるわ」キャットはさらに何度かキーボードを叩き、椅子の脇に置かれたマイクに向かって話しかけた。「ルブラン中尉、あなたが発見したものをもう一度見せてもらえる？　映像を送ってもらいたいのだけれど」

それに対する途切れ途切れの応答が聞こえた。「了解しました」と言っていたように聞こえる。

画面が切り替わり、軍用の防寒服を着用した若い男性の顔が映し出された。フードはかぶっていない。夏を迎えた南極の明るい朝を楽しんでいるのだろう。短い黒髪の上にウールのキャップをかぶっている。寒さのせいで頬は真っ赤だ。あるいは、まだ興奮が冷めやらない状態なのかもしれない。

画面が揺れているのは、別の人間がポータブルビデオカメラで撮影しているからのようだ。

中尉は尾根に向かって後ずさりしながら説明を始めた。

「約二時間前、マクマード基地の上空を通過する五つの巨大な火の玉を目撃しました。当初、ミサイルの攻撃を受けたかと思いました。衝撃波が次々に襲ってきたため、基地全体が緊急態勢に入ったのです。私のチームが調査のために派遣されました。発見したのがこれです」

尾根の上に達したルブラン中尉が脇にどいた。カメラマンが前に進むのに合わせて、画面が激しく揺れる。だが、カメラマンが立ち止まると同時に揺れも治まり、地獄さながらの光景が映し出された。

尾根の先に広がる青い氷原上に巨大なクレーターがいくつもできていた。水蒸気を噴き上げ、穴の縁が黒く焦げている。グレイは五個の隕石が三百メートルもの厚みのある氷を融かしながら貫通し、海中に消えていく様を想像した。氷の上を歩いている人間の姿が見える。ルブラン中尉の調査チームだろう。小さな黒いアリのようにしか見えない人間と比較すると、水蒸気を噴き上げるクレーターがいかに巨大かよくわかる。

その時、スピーカーから雷鳴のような音が聞こえてきた。

最初、グレイにはその音源がわからなかった。だが、近くに雷が落ちたかのような轟音が繰り返し発生するのを耳にして、ようやく事態がのみ込めた。画面上の氷原に無数の亀裂が生じ、割れた氷の破片が宙に高く舞い上がる。クレーターとクレーターとの間にジグザグの裂け目が現れ、氷原の外側に向かって広がっていく。

画面の外のルブラン中尉が大きな声で毒づいた。再び姿を現した中尉は、危険に陥った部下たちの救出のために斜面を駆け下りていた。撮影していた隊員も、ビデオカメラを投げ捨てて後を追う。雪の上に落ちたカメラは斜めになりながらも、混乱に陥った氷原の様子を撮影し続けた。

氷の亀裂の幅が広がり、眼下の氷原が崩壊していく。

調査を進めていた隊員たちが逃げ惑う。カメラのマイクがかすかな悲鳴を拾う。

二人の隊員が足もとにできた亀裂にのみ込まれた。広大な氷原がロス棚氷からゆっくりと分離していく。新たな亀裂が倒れたカメラに向かって走り、レンズの目の前で氷が飛び散ったかと思うと、画面は真っ暗になった。

かつて海軍に所属していたコワルスキが椅子から立ち上がった。何もしてやることのできないもどかしさに、両手の拳を握り締めている。

次の瞬間、シグマ司令部の映像に切り替わった。ショックで顔を紅潮させたペインターが、キャットの横で指示を伝えている。「──マクマード基地を呼び出せ。警報を発令しろ。すぐに救出用のヘリを飛ばすように伝えるんだ」

グレイはペインターとキャットが緊急事態を伝え終わるまで待った。

ようやくペインターがグレイの方に向き直った。「我々が直面している問題を理解できたことと思う」

「どういうことですか?」

「南極のルブラン中尉から報告が入る直前、ロサンゼルスのSMCの技師たちから確認の連絡があった。墜落した衛星から送られてきた破壊の画像は、東海岸に隕石群が落下したことによるものと考えて間違いないということだ」

グレイはさっき目にしたばかりの惨状を思い浮かべた。あの五つの隕石が人口密集地域に落下していたら、どんな事態になっていただろうか?

「その後で技師たちに聞いたところ、南極に落下したのは火球《かきゅう》と呼ばれるタイプの隕石で、直径は平均で十七メートルから二十メートル。地球に衝突した場合のエネルギーは、それぞれが原爆八個分に相当する」

グレイは息をのんだ。

〈あの氷原がばらばらになったのも無理はない〉

ペインターの説明は続いている。「衛星からの画像の詳しい解析によると——爆発の状況、衝撃でできたクレーターの深さ、破壊の規模などを考慮に入れた結果、あれほどの被害を及ぼすのは南極に落ちたものの三倍の大きさの隕石だろうと推測されるということだ」

グレイの全身に寒気が走った。東海岸には家族や友人が、シグマの司令部には同僚たちがいる。

「しかも、東海岸だけではないおそれもある」ペインターは警告した。「我々が手にしているのはこの一枚の写真だけだ。破壊がもっと広範囲にまで、世界規模に及んでいる可能性も否定できない」

「あるいは、まったく起こらないという可能性も」グレイはまだ半信半疑だった。けれども、南極での惨状を目撃したからには、最悪の事態を想定して行動しなければならないという思いが強くなる。

「だから我々にはあの衛星を回収する必要がある。現在、総力をあげて空を見上げているところだ――ハッブル宇宙望遠鏡、ＮＡＳＡの人工衛星スウィフト、イギリス宇宙局。あの彗星の後を追うように動いている無数の岩を監視している。中には直径二百メートルの大きさの岩もある。今のところ、それらが地球に衝突するおそれはなさそうだという見解だ」

「しかし、南極に落下した隕石はどうなのですか？」

「そこが問題だ。我々はすべての隕石を発見できるわけではない。ＮＡＳＡが十五年という年月をかけても、地球近傍《きんぼう》軌道にある小惑星のうちで発見できた数は一万に満たない。つまり、大部分の小惑星は監視できていないのだ。二〇一三年にロシア上空で爆発したチェリャビンスクの隕石もその一例だ。あれはまさに青天の霹靂《へきれき》だった。もしあの時の隕石が高層大気圏で爆発していなければ、広島に投下された原爆三十個分のエネルギーを伴ったまま、ロシアに落下していたことになる」

「つまり、今はまだ何も断言できない状況なのですね」

ペインターがキャットの方に顔を向けた。答えをためらっている様子だ。

「どうしたんですか？」グレイは訊ねた。

キャットがうなずくと、ペインターは大きくため息をついた。

「もう一つ、ＳＭＣから気がかりな知らせがある。断定的な結論を出すにはまだ時期尚早《しょうそう》だが、ドクター・ジェイダ・ショウと緊密に連携して作業を行なっていた物理学者の一人が、彗星の重力の異常に関する彼女のデータを分析している。ドクター・ショウがダークエネルギーの存在の証明になると考えていた歪《ゆが》みだ」

「それで？」

「ＳＭＣの物理学者は彗星が地球に接近する中、その歪みの監視も続けている。彼の話によると、歪みは増大しつつあるということだ」

「それは何を意味するのですか？」

ペインターはキャットに視線を向けた。「我々もその疑問に対する答えを待っているところだ。重要かもしれない……あるいは、何も意味がないのかもしれない。より多くのデータの収集と分析が終わらないことにはわからない」

「どのくらいかかりそうなのですか？」

「少なくとも半日、おそらくもう少しかかるだろう」

「つまり、その間に我々は衛星を発見するということですね」

「すべての答えは衛星の中にあるかもしれない」グレイを見つめるペインターの眼差しが鋭くなる。「いつ出発できそうか？」

「今すぐにでも。キャットが移動手段を確保――」

椅子に座っていたキャットが姿勢を変えた。「ピアース隊長のチームを夜明け前にモンゴルへ送り込むことが可能です」

「モンクのチームは？」グレイは訊ねた。

「ついさっき、カザフスタンから連絡があったところ」キャットが答えた。「嵐のせいで一時的に身動きが取れない状態にあるらしいわ。でも、ほかに問題が発生しなければ、午前中のうちにウランバートルであなたたちと合流できるはずよ」

「それなら、そのつもりで行動してくれ」ペインターが言った。「地上からの捜索にはできるだけ多くの人数が必要だ。セイチャンも君と行動を共にするのか？」

この会議の前に、グレイは通路を歩きながら涙をぬぐうグアン・インの姿を見かけていた。まだ危険な状況に置かれている三合会《さんごう》の構成員たちを助けるため、飛行機で香港に戻る予定だと聞いている。彼女の涙から、グレイはペインターの質問に対する答えを推測できた。

「一緒に来るつもりだと思います」

「わかった」

ペインターはすぐに回線を切った。ほかにいくつもの案件を抱えているのだろう。

グレイは映像の消えた暗い画面をじっと見つめた。再び南極の惨状の映像が頭によみがえり、一刻を争う事態であることを思い知らされる。

〈モンク、遅れるなよ〉

17

十一月十九日　キジルオルダ時間午前零時十七分
カザフスタン　アラル海

レイチェルたちは地下への通路を急ぎ、資料の山があるタラスコ神父の研究拠点へと戻った。頭上にある船の上空に嵐が迫りつつあり、いくつものトンネルや部屋があるこの地下深くにまでも風の咆哮《ほうこう》が届く。錆びた船体を通り抜ける風で剝がれかけた鉄板が揺れ、壊れた手すりがガタガタと音を立てる。

操縦士はただ一人地上に残り、嵐に備えてヘリコプターを固定する作業を行なっている。腐食した鋼鉄の山の風下側に機体を置き、吹きつける砂と塩からエンジンや可動部を守るために、カバーをかけて密閉するつもりだと言っていた。

ヨシプの発掘チームのほかのメンバーたちも、この最深部にあるほかの部屋に集まっていた。嵐の音や危険は気にもかけていない。地上の天候が荒れた時はいつもこうして地下に避難しているのだろう。のんびりとくつろいだり、トランプに興じたり、後片付けをしたりしながら時間をつぶしている。

彼らの落ち着いた様子に、レイチェルの緊張も少し和らいだ。

「この箱をテーブルに載せようじゃないか」モンクがダンカンに指示した。

黒ずんだ銀の箱を二人が運ぶ一方で、ジェイダは頭を振って髪の毛に入った砂を落とし、服に着いた塵や塩を手で払った。だが、汚れを気にしているのは彼女だけではない。

サンジャルはフードをかぶせたハヤブサを止まり木に乗せた。ヘルは何度か翼を羽ばたかせた。ご機嫌斜めのようだが、鋭い鉤爪《かぎづめ》は止まり木をしっかりとつかんでいる。視界を遮られた状態で飛ぶのは危険だとわかっているのだろう。サンジャルは優しく口笛を吹き、首の後ろの毛づくろいをしてやりながら、ハヤブサをなだめようとしている。

レイチェルはサンジャルの隣に立ち、ハヤブサの扱い方を眺めていた。

おじはそんなことに興味がないようだ。さっそくヨシプをテーブルに呼び寄せている。「この遺物を徹底的に調べて、次に向かう場所の手がかりを見極めなければならない」

ヨシプはうなずいたものの、心ここにあらずといった様子で、その表情はうつろだ。モンクとダンカンがほかの遺物の隣に箱を置いても、テーブルに背を向けたまま、高さのある本棚をぼんやりと見つめている。

アルスランが相談事でもあるかのようにヨシプに近づいた。

だが、彼はいきなり黒い拳銃の銃口をヨシプの脇腹に突きつけ、大声で命令した。「全員テーブルから離れろ！　両手を高く上げるんだ！」

あまりにも突然のことに、誰一人としてすぐに反応できなかった――次の瞬間、男たちが開いた扉から室内になだれ込んできた。全員がライフルや刀を手にしている。ヨシプが雇った発掘チームの中に見かけた顔だ。

通路の方から銃声が聞こえる。

レイチェルは発掘チームの残りの人たちの運命を容易に推測できた。大学での爆発事件が、アクタウでの自爆テロが、脳裏によみがえる。どうやら敵は今までずっと、思った以上に深く潜り込んでいたらしい。

ヨシプが発掘チームのリーダーに顔を向けた。困惑の表情が浮かんでいる。「いったい何事だね、アルスラン？」

その答えとして、アルスランはヨシプの口を殴りつけた。神父の唇が裂ける。アルスランはヨシプの腕をわしづかみにし、体を反転させ、司祭の背中に銃口を当てた。

サンジャルが一歩前に踏み出した。「アルスラン、何をしているんだ？」

「蒼《あお》き狼の首領の指示に従ったまでだ」アルスランは答えた。「おまえも従うはずだろう。俺と同じように忠誠を誓ったのだから」

サンジャルを見やるヨシプの表情が曇る。

アルスランは扉の方に向かって頭を振った。その言葉は厳しい命令口調に変わっていた。

「行動を起こせ、従兄弟よ。さもないと、こいつらとともに生き埋めになるぞ」

サンジャルは後ずさりした。「タラスコ神父の行動を見張り、報告することには同意した……でも、こんなことは、絶対にこんなことは……神父はいい人だ。ここにいるほかの人たちだって、何も悪いことはしていないじゃないか」

「それなら、そいつらと一緒に死ぬがいい」アルスランは軽蔑《けいべつ》をあらわにして吐き捨てた。「おまえはいつも意気地なしだったな、サンジャル。鳥などにうつつを抜かして。おまえを甘やかして育てた両親が、貧しい従兄弟の俺をいつも見下していたことは忘れない。そんなおまえはハンの真の戦士にはふさわしくないのさ」

アルスランは手下に向かってモンゴル語で叫んだ。四人がすぐに駆け寄り、テーブルに置かれた遺物を抱え上げると、扉の方へと走っていく。

レイチェルは苦労して手に入れた財宝が持ち去られるのを見守ることしかできなかった。

アルスランも人質に取ったヨシプを自分の体の前に抱きかかえ、盾代わりにしながら後ずさりして手下たちの後を追う。アルスランの指示を受けて、手下たちは部屋の扉を閉める作業に取りかかった。かなり重量のありそうな鋼鉄製の扉だ。大きな鋲《びょう》や錆《さび》が見られることから、地上の船のハッチを再利用したものだろう。

扉の手前でアルスランは従兄弟に向けて、室内の全員に向けて、これから起こる脅威を説明した。「俺たちが調査を進めている間に、手下たちがこの地下のネズミの巣のあらゆる場所に爆弾を仕掛けた。岩は砂と化し、すべてが崩壊するだろう。しかも、上にある重い船が沈み込めば、ちょうどいい墓石代わりになる。ここで何が起きたのかは、永遠に誰にもわからないだろうな」

アルスランの手下たちが下卑《げび》た笑い声をあげる。

その間もライフルの銃口は、主にモンクとダンカンに向けられたままだ。自分たちの計画にとってこの二人が最大の妨げになりそうなことを理解している。

「全員殺せ」アルスランは室内に残った手下たちに命じた。「終わったら地上で合流するように」

サンジャルがレイチェルの方を見た。視線をまず上に、続いてハヤブサに向ける。

一瞬の間を置いて、レイチェルは意図を理解した。

手下たちの注意がほかに向けられている中、レイチェルは手を伸ばしてハヤブサの頭を覆うフードを外した。

サンジャルがモンゴル語で命令の言葉を叫び、アルスランを指差した。ハヤブサが止まり木から勢いよく飛び立ち、砂岩の天井を支える木製の梁《はり》へと舞い上がる。

手下たちはライフルの銃口を上に向け、ハヤブサ目がけて発砲した。轟音でレイチェルの耳が聞こえなくなる。

だが、ヘルは無傷のまま急降下した。サンジャルの放った翼のある矢は、アルスランに鉤爪で襲いかかり、頬と頭頂部を切り裂いた。翼がアルスランの顔を激しく打つ。裏切り者は苦痛の叫びをあげながらうずくまった。

次の瞬間、部屋の中央で新たな銃声がとどろいた。

午前零時三十八分

いちばん近くにあったライフルの銃口が天井に向けられた瞬間、ダンカンは行動を起こした。目の前の敵に体当たりし、そのまま押し倒す。相手の頭がテーブルの角に当たり、骨の折れる音が聞こえた。ダンカンは敵を組み伏せたが、相手はぴくりとも動かない。

ダンカンは敵の手から離れたライフルをつかみ、床の上を転がった。仰向けの姿勢のまま、胸に銃弾を撃ち込んで二人目の敵を倒す。今度は両脚の間の床に敵の放った銃弾が跳ね返った。後ずさりするダンカンにさらなる銃弾が迫る。ダンカンはテーブルの下に逃れた。

テーブルの下に身を隠してから、ダンカンは自分に向かって発砲した男の左の膝頭を撃ち抜いた。男が前のめりに倒れる。ダンカンは男の両目の間にとどめの一発をお見舞いした。

新たな敵が両膝を突いて床を滑りながら視界に飛び込んできた。テーブルの下に銃弾が迫る。

その時、すぐ隣の本棚が倒れ、大量の本が敵の上に降り注いだ。本棚の陰から姿を現したモンクが、呆然《ぼうぜん》とした相手の喉に義手の拳を叩き込む。喉頭《こうとう》を粉砕された男は床に倒れ、身をよじりながらもがいている。血で息が詰まるのは時間の問題だ。

出口付近では、手下の一人が棒で叩きながらアルスランの顔からハヤブサを追い払おうとしている。

その混乱に乗じて、ヨシプがアルスランの手を振りほどき、部屋の中に向かって逃げ出した。

二発の銃声がとどろく。

司祭の胸から血が噴き出す。倒れ込むヨシプを、モンクが両腕で抱き止めた。

アルスランの手に握られた拳銃の銃口から煙が出ていた。手下たちが血まみれになったリーダーを扉の外に引きずっていく。ダンカンは彼らに向かって発砲したが、大きな金属音とともに扉が閉ざされてしまった。

テーブルの下から這い出ると、ダンカンは扉に走り、肩で体当たりした。だが、扉は微動だにしない。外側からかんぬきのようなもので固定されているのだろう。どうやらこの部屋に閉じ込められてしまったようだ。

ダンカンは室内を見回し、状況を調べた。

ジェイダが別の本棚の奥から姿を現した。最初の銃声が響いた時、モンクが本棚の陰に彼女を押し込んでいたのだ。

サンジャルはヘルのそばにひざまずいていた。ハヤブサは石の床の上で羽ばたきを繰り返している。

レイチェルがおじとともに、苦しそうにあえぐヨシプのもとへと駆け寄った。

体の下にたまりつつある血の量から判断すると、あの司祭は長くは持たないだろう――それはここにいる全員にも当てはまる。

午前零時四十分

〈こんなことが……〉

ヴィゴーはヨシプのそばにひざまずいていた。死んだと思っていた友人と再会したばかりなのに、今度は本当に死んでしまうなんて。運命の女神にもてあそばれ、才気と狂気の両方を授かって苦しみ続けていた男が、このようなむごい最期を迎えるなんて。

ヴィゴーはヨシプの手を取り、臨終の儀式に取りかかった。

ヨシプは自分の身に起きたことが信じられないという目つきで、ヴィゴーの顔を見上げている。唇から血があふれるものの、言葉があふれることはない。ヨシプの肺は裏切り者の銃弾でつぶれ、すでに機能しなくなっている。

「そのまま横になっていたまえ、我が友よ」

モンクが痩せ細ったヨシプの体を膝の上に抱えている。

ヴィゴーはヨシプの手を左右の手のひらで包み、ありったけの愛を込めて握った。ほかに何もしてやれない。モンクの目を見れば、手の施しようのない状態であることがわかる。

声を出すことのできないヨシプは、最後の力を振り絞ってヴィゴーの手を握り返し、血まみれの胸に引き寄せた。ヴィゴーの手のひらに友人の心臓の鼓動が伝わる。

「君がいなくなると思うと私も寂しいよ」

ヴィゴーは友人の目の中に苦悩と悔いを見て取った。ヨシプは世界が直面している危機を知っている。けれども、そのために手を貸すことはできなくなってしまった。

「君はこの重荷を長い間ずっと一人で抱えてきた。ここからは私に任せてくれ」

ヨシプが見つめる中、ヴィゴーは友人の額にそっと聖油を塗布した。

「安らかに眠りたまえ」ヴィゴーはささやいた。

ヨシプは天に召された。

午前零時四十二分

ダンカンはモンクとともにタラスコ神父の遺体をテーブルの上に載せた。

んですけれど」

「気の毒ですね」ダンカンはつぶやいた。「きちんと埋葬してあげる時間があったらよかった

ヴィゴーは涙をこらえながら、雑然とした室内を見回してうなずいた。「ここで永遠の眠りに就けるのなら、彼も本望だろう」

モンクが行動に移るように促した。「俺たちはこんなところで永遠の眠りに就くわけにはいかない」

ダンカンはサンジャルを見た。「ほかに出口はないのか?」

サンジャルはハヤブサを毛布でくるんでいた。「残念ながらありません。ほかのトンネルは別の部屋に通じているだけで、行き止まりです。地上に出るためには、この密閉された扉を通るしかないのです」

脱出するために残された時間は、せいぜいあと数分だろう。アルスランと手下たちは船からの退避が完了次第、地下のトンネル部分を爆破するはずだ。唯一の期待は、連中が金目のものを回収しながら地上に向かってくれればもっと時間がかかるかもしれないという点だが、それに望みをかけるわけにもいかない。

ジェイダが立ち上がった。大きく目を見開き、両腕で体を包み込んでいる。「あいつら、私たちを殺すつもりだったのよ」その体はショックのあまり震えている。

「そうだな。このままではやつらの狙い通りになっちまう」ダンカンは認めた。この状況では

期待を持たせるような言葉をかけても仕方がない。

ジェイダはダンカンをにらみつけた。「そういう意味じゃないの。よく考えてよ。相手の思惑とは違ってきているんだから、そこを利用しないと。爆発によってこの人知れぬ墓場に私たちの死体を埋めるというのが、あいつらの計画だったんでしょ」

そう言われても、ダンカンにはぴんとこなかった。

「本当なら私たちはもう撃ち殺されているはずなのよ」ジェイダの声が次第に熱を帯びてくる。彼女は部屋の内部を手で指し示した。「あの男は地下のあらゆる場所に爆弾を設置したと言っていたわ。それなら、ここにもあるはずじゃないの？　最深部なんだから当然よね。計画では私たちはもう死んでいるはずだったのよ」

〈そうか……〉

モンクが舌打ちをして、壁沿いを探し始めた。

ダンカンも自分の愚かさに半ばあきれながら反対側の壁を探した。三十秒もたたないうちに爆弾を発見する。この広い部屋の天井を支える太い木製の梁の基部に隠されていた。

「一つ見つけた！」ダンカンは声をあげた。

「こっちにも一つあるぞ！」部屋の反対側でモンクが叫んだ。

「そいつのトランシーバーを外してください！」ダンカンは指示した。「慎重に作業を頼みますよ！」

レイチェルがダンカンの後についてきていた。「時間内に全部の爆弾を解除できると思う?」

「そんなことは考えていません」ダンカンは作業を続けながら説明した。「全部見つけることは無理ですから」

ダンカンは雷管とトランシーバーに気をつけながら、プラスチック爆薬の塊を梁から外した。爆薬を手に鋼鉄製の扉へ急ぐ。

もう一つの爆弾のトランシーバーを手にしたモンクも扉のもとにやってきた。

ダンカンは爆薬の塊を扉の蝶番の部分に貼り付け、トランシーバーを調べた。トランシーバーは無線信号の送信と受信ができる。この地下迷路の各所に仕掛けられた爆弾のトランシーバーには、共通の受信設定がされているはずだ。ダンカンは爪の先端を使って自分のトランシーバーの受信設定を変更した。

〈全部を爆発させるわけにはいかない〉

次に、モンクからもう一つのトランシーバーを受け取る。

「ちゃんとわかって作業をしているのか?」モンクが訊ねた。

「家電量販店で働くために大学で電気工学を学んだわけじゃないですから」ダンカンはトランシーバーの送信設定を新たな周波数に合わせ、全員に扉から離れるように合図した。「何かの陰に隠れて、耳をふさいでください!」

ダンカンも仲間とともに扉から離れ、頑丈な本棚の裏に回り込んだ。親指をトランシーバーの小さな赤いボタンの上に置く。この新しい周波数に反応するのは、さっき設定を変更した爆弾だけのはずだ――だが、爆弾と無線信号に関しては、常に想定外の事態が起こりうる。

ダンカンはボタンを押した。

頭蓋骨が押しつぶされるかと思うような爆発の衝撃に、ダンカンは失敗を覚悟した。すべての爆弾を爆発させてしまったと思ったのだ。煙と塵が室内に充満する。ダンカンは立ち上がり、咳き込みながら手を振った。

入口をふさいでいたハッチは、その周囲の壁の一部もろとも消えていた。

モンクが隣に並んだ。水中で話しているかのような声が聞こえる。「連中にも今の爆発音が聞こえたはずだ！」

ダンカンはうなずいた。

つまり、「走れ！」ということだ。

午前零時四十六分

ジェイダはダンカンのすぐ後ろを走っていた。ただ一人、懐中電灯を手にしたダンカンが先頭に立ち、地上へ通じる階段を駆け上がる。二人の後ろでは、モンクとレイチェルがヴィゴーに手を貸していた。ヴィゴーの体を半ば抱えるようにして、急な階段を上っている。最後尾を走っているのはサンジャルだ。

今にも周囲が爆発し、何トンもの石に押しつぶされて砂と塩の中に埋められてしまうのではないかと思うと、ジェイダは気が気ではなかった。

船の貨物室に通じる出口は果てしなく遠くにあるように思える。この地下迷宮の規模が、深さが、広さが、実感されるにつれて、ジェイダの恐怖も高まっていく。頭上からは腐食した船体を吹き抜ける甲高い風の音が聞こえる。もっと速く走れないのかと嘲笑《あざわら》っているかのような音だ。

「もうすぐだ！」ダンカンがあえぎながら叫んだ。懐中電灯とライフルを手に、階段を一度に二段ずつ上っている。

ジェイダは顔を上げたが、目の前にダンカンの体があるのでその先が見えない。

だが、さらに五メートルほど走ると、ダンカンの言葉通りだとわかった。靴の下の岩が鋼鉄製の踏み段に変わる。大きな音を立てながら階段を上り――

――その時、足もとの大地が激しく震動した。下の方から地面の裂ける音も響く。

全員が塩で腐食した鋼鉄製の段に倒れ込んだ。砂と塵と煙の柱が地下から噴き上げ、呼吸ができなくなり、視界も利かなくなる。

ジェイダは這ったまま残りの段をよじ登った。ダンカンの持つ懐中電灯のぼんやりとした光だけが頼りだ。大きな手が彼女の手をつかみ、軽々と階段から引き上げてくれた。ジェイダがよろけながらも立ち上がる横で、ダンカンはほかの人たちを次々に貨物室へと引っ張り上げている。

「早く出口へ！」そう叫びながら、ダンカンは船体の左舷側に開いた穴を指差した。

ジェイダは出口へ向かおうとしたが、足が滑って思うように前に進まない。足もとが傾き始めていた。鋼鉄がうめくような音とともに、船尾側が下がる一方で、船首部分が上昇している。地下の迷路が崩壊してできた大きな窪みに、重量千トンの船体の後ろ半分が沈み込もうとしているのだ。

船体の床には風によって運び込まれた半世紀分の砂が積もっている。その砂がいっせいに船尾方向へと流れ始めた。

砂の流れに引きずられ、ジェイダは立っていることができなくなった。両膝を突いた姿勢で、傾いた床を船尾方向に滑り落ちていく。ほかの人たちも同じような状態だ。砂がまるで川の水のように流れ、次第に深さと速さを増す。滑りやすくなった床にとどまっていられない。手足を砂に取られながら、沈み込む船尾方向に引きずられていく。

ジェイダは水に溺れかけている人のように、手足を動かして必死にもがいた。

このままでは本当に溺れてしまう。

下の方に目を移すと、渦を巻く砂が彼女をのみ込もうと待ち構えていた。上からは船首部分にたまっていた砂が次々と流れ落ちてくる。砂の海に沈んだら最後、再び浮かび上がることはできない。

その時、ダンカンがジェイダの脇を通り過ぎた。スケートとボディーサーフィンの中間のような姿勢で、砂の流れに身を任せて滑り下りていく。

ダンカンの姿はすぐに砂煙の中に消えた。

〈あきらめてしまったのだろうか？〉

午前零時五十分

砂の上を滑りながら、ダンカンは生き延びるための唯一の望みを目指していた。

ここに到着した夕方のことを思い返す。あの時、船尾にある間に合わせのガレージからランドローバーが走り出て、突然現れた来客たちを出迎えた。

少し前に世界が傾き始めた時、ダンカンはランドローバーがまだ船尾のガレージに停まっていることに気づいた。その車体を目指して滑っていく。ランドローバーはすでに車軸部分まで砂に埋もれており、砂の深さは刻一刻と増している。バンパーにぶつかったダンカンは、ボンネットに飛び乗った。フロントガラスにしがみつき、開いたままのサイドウインドーから何とか車内に体を潜り込ませ、運転席に座る。

キーはイグニッションに挿さったままだ。

〈助かった……〉

ダンカンがキーをひねってアクセルを踏み込むと、パドルトレッドのタイヤが回転し、車体の後方に大量の砂を巻き上げた。タイヤがしっかりと砂をとらえ、ランドローバーは斜面を上り始めた。

モンクもすぐにダンカンの意図に気づいたようで、砂の流れに逆らうのをやめ、傾いた床を滑り下りてきた。フロントグリルに飛びついてからボンネットによじ登る。ボンネットの上で腹這いになると、モンクはダンカンに向かって義手の親指を立てた。

「このまま進め！」モンクが叫んだ。

ダンカンはゆっくりとランドローバーを斜面の上に向かって走らせた。その間にモンクが砂の流れの中からほかの仲間を救出する。ボンネットの上に乗ったヴィゴーがフロントガラスにもたれかかった。その隣にレイチェルも並ぶ。右のフェンダー部分では、ジェイダとモンクがサンジャルを引っ張り上げようとしている。サンジャルは毛布にくるんだハヤブサをしっかりと抱えていた。

全員がどうにか車につかまると、ダンカンはアクセルをさらに深く踏み込んだ。ギアをローに入れたまま斜面を上る。傾斜は急になる一方だ。船の重心が船尾側に移りつつあるため、崩壊した地下の迷路に向かって沈み込み続けているのだろう。

砂用のタイヤを装備した四輪駆動のランドローバーでも、砂の流れに苦戦していた。タイヤがスリップするたびに、ダンカンは息をのんだ。船尾側に引き込まれてしまったら、二度と抜け出すことはできないだろう。そうなれば、五十年分の砂とシルトと塩にのみ込まれ、船尾で生き埋めになってしまう。

錆びついた船体がうめき声のような音を漏らした。負荷がかかった鋼鉄の悲鳴もあちこちから聞こえる。銃声のような音とともに船体の鋼板が剝がれ、船尾方向に転がり落ちていく。船体がばらばらになるのは時間の問題だ。

左舷側にハンドルを切りながら、ダンカンはようやく船体に空いた穴まで達した。船が傾いてしまったため、開口部は地上から一メートル以上の高さに位置している。だが、飛び下りるのを怖がっている場合ではない。

ダンカンが砂の流れに逆らいながらランドローバーを安定させている間に、モンクが全員を穴から出した。外では激しい嵐が吹き荒れているが、かまわずに次々と放り投げていく。

「次はおまえだ！」穴から吹き込む風の音に負けじとモンクが叫んだ。

ダンカンは手を振って促した。「お先にどうぞ！　すぐ後から行きますから！」

だが、それは嘘だった。ダンカンが車外に出る方法はない。アクセルから足を離せば、ランドローバーはすぐに斜面を滑り落ちてしまう。

フロントガラスを通してじっと見るうちに、モンクはダンカンの決意に気づいたようだ――顔をしかめながら、ダンカンに背を向け、穴に向かってジャンプする。だが、モンクは開口部から外に飛び出すのではなく、義手の方の手で穴の縁にぶら下がり、もう片方の手を差し出した。

「ここまで来い！」モンクは叫んだ。「俺の手をつかめ！」

ダンカンは躊躇《ちゅうちょ》した。そんなことをしたら二人とも命を落としかねない。

「ぐずぐずしていると俺がもう一度そっちに飛び移るぞ！」モンクが大声をあげる。

〈たぶん本気だ〉

覚悟を決めると、ダンカンはアクセルをさらに強く踏み込み、二メートルほど距離を詰めた。その位置を維持しようとするものの、滑り落ちる砂にタイヤが空回りする。ダンカンは片手でハンドルを握ったまま、もう片方の手をサイドウインドーから外に伸ばした。

モンクの手が指をつかみ、次いで手のひらをしっかりと握る。

心の中で祈りを捧げながら、ダンカンはハンドルから手を離し、アクセルから足を離し、サイドウインドーの外に体を投げ出した。予期していた通り、ランドローバーはすぐに斜面を滑り落ちていく。だが、落下する車のサイドウインドーをくぐり抜けたダンカンの体は、モンクの腕にぶら下がった状態でその場にとどまった。

ダンカンは一息ついた。

だが、安心するのは早かった。

ダンカンとモンクをぶら下げたまま、船体が真っ二つに折れた。

午前一時四分

ほんの数メートル離れたところで強風を浴びながらうずくまっていたジェイダの目の前で、錆びついた船体の中央付近に亀裂が入り、鋼鉄の裂ける悲鳴とともに真っ二つに折れた。船首部分が大音響とともに落下し、大量の砂が舞い上がる。

風に飛ばされた瓦礫《がれき》が降り注ぎ、全員があわてて船から離れた。周囲は砂に包まれ、自分の鼻より先を見通すことができない。

〈ダンカン……モンク……〉

絶え間なく吹く強風が、舞い上がった砂や瓦礫を塩原の彼方に運び去り、すぐに視界が戻ってくる。

ジェイダは船の残骸に目を凝らした。

船体の近くで動きがある。小さな二つの人影が貨物室から現れ、砂の上に飛び下りた。出口よりも上の船首側の部分で船体が折れたおかげで、二人は助かったのだ。

とがった鋼鉄の破片が散乱する砂の上を、モンクとダンカンが歩き始めた。ダンカンはモンクの肩につかまり、足を引きずりながら歩いている。

ジェイダは吹きつける風を手で遮りながら二人のもとに駆け寄った。ダンカンのズボンの片方が血に染まっているのを見て、心臓が止まりそうになる。

ほかの仲間も集まってきた。

「何があったの？」ジェイダは訊ねた。

「沈む船と運命を共にするつもりだったんだ」ダンカンが答えた。「だけど、モンクがどうしてもって言うから」

「さあ、ぐずぐずしていられないぞ」モンクが嵐に顔をしかめながら促した。だが、人数が少ないことに気づく。「サンジャルはどこだ？」

ジェイダは周囲を見回した。いつの間にかサンジャルの姿が見えなくなっている。

ヴィゴーがモンクの質問に答えた。「操縦士の様子を見にいくと言っていた」

ジェイダは不意に罪悪感を覚えた。ヘリコプターの機体の影に視線を向ける。今まで操縦士の運命について考えてもいなかった。心の奥のどこかで、死んでしまったものと思い込んでいたのだ。この襲撃の最中に、ヨシプの発掘チームのほかのメンバーのように殺されてしまったに違いないと。

モンクがダンカンとともにヘリコプターに向かった。その途中に三人の死体が転がっている。

死体の周囲には大量の血が流れた跡がある。

銃で撃たれたのだ。

ダンカンは足を引きずりながら死体の間を歩いている。「どうやら操縦士は勇敢に戦ったようですね」

「同時に、俺たちの命を救ってくれた」モンクが応じた。「彼の抵抗に手こずったため、アルスランは船を爆破させるのに手間取ったんだろう。そのおかげで俺たちは脱出する時間を稼ぐことができたんだ」

ジェイダの罪悪感はいっそう募った。そう言えば、あの操縦士の名前すらも知らない。

ヘリコプターに近づくと、機体の側面には銃弾の跡が、フロントガラスにも傷やひびがあった。機体にかけてあった防水シートが強風に吹かれてはためいている。

機体の周辺を探したが、サンジャルの姿はない。

その時、真っ暗な嵐の中から二つの人影が現れた。激しい風と吹きつける塩からお互いを守るかのように、体を支え合いながら歩いている。

サンジャルと操縦士だ。

モンクはダンカンとジェイダをヘリコプターのそばに残し、二人のもとへと向かった。

「血の跡をたどっていったんです」戻ってきたサンジャルが告げた。「ヘリコプターから嵐の中へと……」

「太腿の上を撃たれたんです」操縦士が説明した。「何とかヘリコプターの下に隠れたものの、もうおしまいだと思っていたら、船の方から大きな爆発音が聞こえました。連中の注意がそれた隙に、逃げることができました。嵐の中に紛れれば見つからないだろうと思って。どうやらうまくいったみたいですね」

ジェイダは爆発で吹き飛ばされた最深部の扉を思い浮かべた。

〈お互いが相手の命を救ったということだわ〉

「ヘリはまだ飛べるか？」モンクが訊ねた。

操縦士は機体の損傷を調べながら顔をしかめた。「この嵐の中を飛ぶのは無理です。でも、嵐が通り過ぎれば大丈夫でしょう。ガムテープと接着剤がいるかもしれませんが」

「その調子で頼むぞ」モンクは応じた。

風がうなり声をあげる中、全員がヘリコプターの機内に避難した。だが、いちばんの問題は嵐ではない。

モンクがサンジャルの方を向いた。サンジャルは毛布でくるまれたまま座席の上に置かれていたハヤブサを抱え上げたところだ。操縦士を探しにいく前に、安全な機内に鳥を残しておいたのだろう。

「アルスランがあの遺物をどこへ持っていったか、心当たりはあるか？」モンクが訊ねた。

「断言はできませんが、おそらくウランバートルだと思います」

ヴィゴーはもっと具体的な答えを求めていた。「ウランバートルに持っていったとして、その後は？　誰に手渡すつもりなのかね？」

「それに関しては断言できます。私のグループのリーダーに手渡すのでしょう。『ボルジギン』の称号で知られる男です。『蒼き狼の首領』という意味です」

「チンギス・ハンの氏族の名前だ」ヴィゴーがつぶやいた。

サンジャルはうなずいた。

「その男の本名は？」モンクが訊ねた。

「わかりません。私たちの前に姿を見せる時は、いつもオオカミの仮面をかぶっているのです。アルスランだけがその男の正体を知っています」

「それだけじゃどうしようもないな」脚の深い切り傷に包帯を巻きながらダンカンがつぶやいた。

「あの遺物を奪われてしまったとは」ヴィゴーが言った。「我々は天に見放されてしまった」

ジェイダは窓の外に目を向けた。嵐が次第に治まりつつあり、雲の切れ間から夜空に輝く彗星が見える。科学者のジェイダは、数字や事実、確証や計算結果に重きを置いている。アラル海へのこの寄り道のきっかけとなった迷信についても、根拠がないと見なして本気にしていなかった。

けれども、空を見上げるジェイダは絶望感に包まれていた。真実を見つめなければならない。

モンシニョールの言う通りだ。
〈天に見放されてしまったわ〉

第三部　かくれんぼ

18

十一月十九日　ウランバートル時間午前十一時九分
モンゴル　ウランバートル

「その十字架が重要だと全員が考えているわけだな?」グレイは確認した。

ここはモンゴルの首都の中心部にあるウランバートルホテルのスイートルームだ。建物の外観は旧ソ連の画一的な様式で、圧政下に置かれていたこの国の過去を想起させるが、内装はヨーロッパ風の新しさと優雅さにあふれ、未来に目を向けた新しいモンゴルを象徴している。

スイートルームには長いテーブルの置かれた会議室も含まれている。モンクのチームとグレイのチームで両側に分かれて、全員がテーブルに着いていた。

扉をノックする音とともに笑みを浮かべたスキンヘッドの顔がグレイの前に現れたのは、ほんの一時間前のことだ。モンクにがっしりと抱き締められ、グレイは肩の傷口が開いてしまうのではないかと思った。モンクに続いて、シグマの新隊員のダンカン・レンが長身を折り曲げるようにして室内に入ってきた。その後ろからドクター・ジェイダ・ショウ、さらに膝上まであるシープスキンのコートを着たモンゴル人の若者が続いた。若者が手に持つペット用のキャリーケースの中では、何かが動く気配がした。

だが、グレイの感情を最も大きく揺さぶったのは、最後に入ってきた二人だった。喜び、懐かしい記憶、深い愛が心にあふれる。

グレイは自分がモンクにされたのと同じくらいの力強さでヴィゴーを抱き締めた。グレイの知るヴィゴーは、精神的にも肉体的にもタフで、それでいて優しい心の持ち主だった。だが、グレイは抱き締めた時にヴィゴーの肉体的な衰えを感じた。体重も筋肉も落ちてしまったようだ。顔もすっかりやつれたように見えた。

そして、レイチェル。

グレイは彼女のことも温かく迎えた。レイチェルを抱き締めながら、いくつもの思い出が心によみがえった。レイチェルの方もグレイからすぐには離れようとせず、単なる友人の再会以上の親密さをにおわせた。グレイとレイチェルはかつて恋人同士で、将来について真剣に考えたこともある。だが、燃え上がるような恋の炎も、遠距離恋愛という現実的な問題の前に、次第に衰えていった。その後も深い友情で結ばれた二人の間には、顔を合わせた機会に再び熱い思いがよみがえることもなかったわけではない。

けれども、今では状況が変わった……

グレイはレイチェルの向かい側に座る女性に視線を移した。

セイチャンはグレイとレイチェルとの過去を知っている。セイチャン自身もレイチェルと複雑な関係にあった時期もある。その後、二人は和解し、お互いに敬意を示しているものの、常に相手の様子をうかがうような状態が続いている。

モンクのチームが一息ついた頃合いを見計らって、グレイは全員を会議室に招集した。ここから先の方針を決定する必要がある。そのためには、全員が手持ちの情報を公開しなければならない。

ペインターの許可を得た後、モンクはヴィゴーとレイチェルだけでなく、サンジャルという名のモンゴル人の若者に対しても、墜落した衛星に関する詳細な情報を伝えた。サンジャルはウランバートルの北西の山間部に位置するハン・ヘンティー厳正保護区への案内役を申し出てくれた。

墜落する衛星がとらえた破壊の画像、および南極大陸で起きたばかりの惨事の話に、再会の喜びも薄れていく。自分たちの直面している危機の深刻さが、心に重くのしかかる。

けれども、グレイはある一つの問題について決断を下すことができずにいた。かつて使徒トマスが身に着けていたというカザフスタンでの一連の出来事を説明してくれた。モンクたちはその十字架が、これから訪れる可能性のある災厄に対して大きな意味を持っているということに関しては、全員の意見が一致しているようだ。

ドクター・ジェイダ・ショウまでも、十字架の発見が重要だと考えている。

ジェイダはその理由を説明しようとしているところだ。「私自身の観測および計算結果から、アイコン彗星がある特殊なエネルギーを放出していて、それが重力の異常を生じさせたと考えています」

「君はダークエネルギーがその原因だと考えているんだな？」グレイは確認した。

「私が言えるのは、そうした異常が私の理論上の計算と完全に一致しているということだけです」

「それで十字架は？」

「ダンカンによると、あの古い遺物も、ある種のエネルギーを放出しています。長年にわたって十字架を肌身離さず持っていたチンギスが、同じエネルギーを浴びて汚染されたためではないかと思うんです」

ジェイダは指を折って数えながら自分の意見を主張した。黒い瞳が確信に満ちた輝きを発している。「第一に、十字架の歴史は隕石の落下と関係しています。第二に、十字架は今から約二日半後に起こる災厄の予言と物理的に関連しています。しかも、その時間は衛星が撮影した画像と一致しています。さらには、十字架はチンギスの遺物に残された痕跡《こんせき》と同じ奇妙なエネルギーを放出しています。調査を行なう価値は十分にあると思います。少なくとも、誰かが調べるべきです」

「だが、その誰かは君ではない」グレイは現実的な問題を指摘した。

ジェイダがため息をついた。「私は墜落した衛星の残骸の調査に同行する方がお役に立てると思います。天体物理学が専門ですから。あの衛星のことなら隅から隅まで知っています。その一方で、歴史に関する私の知識は、前回の大統領選挙よりも古い話になるとかなり限られてしまうので」

ジェイダ、ダンカン、モンクが山奥にある墜落予想地点に直接向かうことはすでに決定していた。三人には案内人兼通訳としてサンジャルが付き添う。グレイも同行したかったのだが、モンクたちは十字架の捜索を行なう人間が必要だと主張して譲らなかった。使徒トマスの予言によれば、その十字架こそが迫りくる炎の終末を回避するために重要なのだという。

それでも、グレイは納得できずにいた。それには理由がある。「しかし、十字架の在り処《か》を示す唯一の手がかりと思われた遺物は、奪われてしまったじゃないか」

「それなら、取り戻せばいい」ヴィゴーが答えた。

「どうやって？　どこに持ち去られたのかも、謎のグループのリーダーの正体もわからないんですよ。残り時間が刻一刻と少なくなりつつある今は、持てる人員を衛星の捜索に結集する方が賢明ではないかと思います。現時点では、差し迫った災厄に関してさらなる情報を集めるための最も有力な手がかりは衛星の残骸です。我々が災厄を回避するための最大の武器はそこから得られる知識であって、十字架ではないのです」

ジェイダは椅子に座ったままうなだれた。グレイの主張に一理あることを認めた様子だ。科学者である彼女は、論理的に説明されると弱い。

その一方で、ヴィゴーは信念と気持ちを重んじる人だ。グレイの意見を聞いても両腕を組んだだけで、まったく納得していない。「私が衛星の捜索をしてもみんなの足を引っ張るだけだ、ピアース隊長。それにタラスコ神父に対して絶対にあきらめないと約束した。私は十字架の発見に全力を尽くすつもりだ。たとえ一人だけになろうとも」

レイチェルの視線がグレイの目をとらえた。おじへの不安がはっきりとうかがえる。ヴィゴーの決心を翻《ひるがえ》すのが難しいことは、二人ともよく知っている。レイチェルがおじ一人での十字架の捜索を望んでいないのは言うまでもない。それがどれほどの危険をはらんでいるかは、彼らのあざやすり傷や切り傷を見れば一目瞭然だ。

グレイを見つめるレイチェルの目は、おじを翻意させてほしいと訴えかけている。

そのため、グレイはサンジャルの方を見た。モンゴル人のこの若者なら、十字架を捜索しても無駄だとうまく説明してくれるかもしれない。

「サンジャル、グループのリーダーのボルジギン――蒼き狼の首領の正体に関する手がかりはないという話だったが、彼が大きな影響力を持ち、冷酷な人間だということはわかっているんだな」

「その通りです」サンジャルの表情が曇った。「従兄弟のアルスランのような側近の部下は、彼のためならどんなことにでも手を染めます。彼らはチンギス・ハンを神とあがめています。

一方、グループのリーダーのボルジギンは彼らにとっての法王で、過去の栄光と明るい未来とをつなぐ存在なのです」

グレイはその言葉の端々から祖国を愛する強い気持ちを感じ取ることができた。だが、サンジャルは狂気に近い教えを鵜呑《うの》みにすることはなかったようだ。

「ボルジギンは偉大なるハンの直系の子孫だと主張しています。前に目にした記憶があるのですが、彼は手に――」

サンジャルが不意に口をつぐんだ。椅子に座り直し、目を大きく見開いている。サンジャルは手のひらで額《ひたい》を押さえた。「何て馬鹿だったんだ」

ヴィゴーが若者を見た。「どうしたんだね、サンジャル？」

「たった今、思い出しました」

サンジャルは感謝するかのようにグレイに向かって頭を下げた――だが、いったい何を感謝しているのだろうか？

「自分の主張の正当性の証拠として」サンジャルは説明を始めた。「ボルジギンは黄金のリストバンドをはめていたことがありました。かつてチンギス自らが所有していた財宝だという話です。その時は半信半疑で話を聞いていました。単に見せびらかしたいだけだろうと思ったのです。だから、深く考えないまま忘れてしまっていました」サンジャルはヴィゴーの方を向いた。「でも、昨日カザフスタンでタラスコ神父の告白を聞きました。神父が捜索資金を得るために財宝を売ったことは知っていましたが、具体的に何を売ったのかは昨日まで知らなかったんです」

　ヴィゴーの口調が変わった。「アッティラの墓で発見された、チンギスの名前が刻まれていたという黄金のリストバンドのことだな。同じものなのかね？」ヴィゴーは手を伸ばし、サンジャルの前腕部を握った。「君が見たボルジギンのリストバンドは、不死鳥と悪魔をかたどったものだったのか？」

　サンジャルは申し訳なさそうな表情でヴィゴーを見つめた。「そこまではよく見ていません。離れたところからで、しかも一回だけでしたから。だから今までその二つが頭の中で結びつかなかったんです」

　サンジャルはヴィゴーの手から腕をそっと引き抜いた。

「それに、僕の思い違いかもしれません」サンジャルは認めた。「ウランバートル市内の骨董品店に行けば、どこでもチンギスに関係があるとされる品を大量に揃えています。リストバンドも特に珍しいものではありません。ハヤブサ使いの伝統は今なおこの国で大切にされているのです。我々の輝かしい過去の証《あかし》として、今でもリストバンドを身に着けている人は少なくありません。僕が使用しているような革製の質素なものから」サンジャルが手首を見せた。「ハヤブサの爪の跡の残る厚いリストバンドが巻かれている。「アクセサリー代わりの豪華なものまで」

「でも、今の事実が何の役に立つんだ？」グレイはまだ納得していない。「発掘資金を得るためにヨシプの売ったリストバンドが、蒼き狼の首領が身に着けていたリストバンドと同じものだとしても、それだけでは彼の正体を突き止める手がかりになるとは思えない」

サンジャルは手で髪をかき上げた。「タラスコ神父が何を売ったのかは昨日まで知りませんでしたが、誰に売ったのかは知っているからです」

レイチェルが身じろぎした。「私もヨシプに同じことを質問したわ」

ヴィゴーは愕然としていた。「だが、私は重要ではないと言って話を遮ってしまった」

「おじさんはヨシプの気持ちを傷つけたくないからそうしたのよ。あの時はそんな情報が重要だとは思わなかったもの」

グレイはサンジャルに鋭い視線を向けた。「神父の財宝を、その黄金のリストバンドを買い取ったのは誰なんだ？」

「作業者たちの間での噂なので、これも確かではないかもしれません。けれども、モンゴル政府のある重要人物に売却されたとみんなが言っていました」

「誰なんだ？」

「モンゴルの法務大臣で、バトゥハンという名前の人物です」

グレイはこの新たな情報を考慮した。憶測や噂にすぎない部分があるのは事実だ。二つが同じ黄金のリストバンドではないかもしれない。買い取ったのはバトゥハンではないかもしれない。どちらも真実だったとしても、法務大臣がすでに別の人間に売ってしまった可能性だってある。

全員の視線がグレイに集まる。

「調べてみる価値はありそうだ」グレイは認めざるをえなかった。「少なくとも、バトゥハンとかいう男と会う必要がある。しかし、法務大臣がボルジギンだったとすると、君たちの顔はすでに知られているはずだ」グレイはモンクのチーム全員に向かってうなずいた。「だが、俺のことは知らない。セイチャンの顔もだ」

ヴィゴーが興奮した様子で立ち上がった。「あの最後の遺物を取り返すことができれば――」

グレイは片手を上げて制した。「まだ仮定の話にすぎません。それにこの可能性の低い話のために衛星の残骸の捜索を遅らせるわけにもいきません」グレイはテーブルの向かい側を指差した。「モンク、君はダンカンとジェイダ、それにサンジャルを連れて山間部に向かってくれ。捜索範囲を示す最新のGPSの座標は、すでにペインターから受け取っているな?」

ＳＭＣのチームは墜落した衛星の軌道予測の精度を高め、捜索範囲をできるだけ絞り込もうと試みているところだ。

「まだかなり広範囲にわたっているみたいだけどな」モンクは認めた。

「それならすぐに行動を開始してくれ。その間、こっちはセイチャンと一緒に大臣を調べ、コワルスキはヴィゴーとレイチェルの護衛役としてホテルに残しておく。大臣をついて何も出てこなければ、こっちもできるだけ早く山間部へ向かうことにする」

モンクはうなずきながら立ち上がり、出発の準備に移った。

コワルスキが伸びをしながらつぶやいた。「今回も二手に分かれる作戦か。過去の例からすると、このやり方はいつも素敵な結果をもたらすんだよな」

午後零時二分

セイチャンは自分に割り当てられた部屋の中を落ち着きなく歩いていた。モンクたちのグループが山間部での調査を開始するためにホテルを出た後、仮眠を取るため部屋に戻ってきたのだ。

隣の部屋ではグレイがシグマの司令部のキャットと作戦を練っている。モンゴルの法務大臣がどんな人物なのかを調べているところで、事務所と自宅の住所やそれぞれの建物の見取り図、財務記録、親しい人物やビジネスパートナーの名簿など、敵に接触する前に役立ちそうな情報を収集中だ。

〈敵であれば、の話だけれど……〉

人の本性は見た目からだけではわからない。セイチャンはそのことをずいぶん前に学んだ。

まだ子供だった頃に厳しい現実の世界に放り込まれたからだ。人間の価値は人によって決まっていて、その顔は表向きの仮面にすぎない。グループのリーダーがかぶっているというオオカミの仮面と同じだ。自分以外を信用してはならないことを、セイチャンは身を持って経験してきた。

グレイのそばにいる時でさえも、セイチャンは自分をさらけ出したりしない。

グレイに本当の顔を見られることが怖いわけではない。本当の顔がないことを恐れているのだ。長年にわたって生き延びるためにいくつもの役割を演じてきた結果、セイチャンは本当の自分を失ってしまったのではないかと恐れていた。自分をさらけ出そうとしても、何も残っていないのではないだろうか？

〈私は傷跡と本能だけの人間なのかもしれない〉

扉をノックする音で、セイチャンは我に返った。余計なことを考えずにすむとほっとしながら、声をかける。「どうぞ」

扉が開くとレイチェルの顔がのぞいた。「もう寝てしまっているかなと思ったんだけど」

「何か用なの？」

意に反して詰問口調になってしまう。治り切らない傷跡のせいだ。セイチャンはレイチェルに対して敵意を抱いていない。決して友人にはなれないと思う一方で、レイチェルの能力と知性には一目置いている。けれども、さっき久し振りにレイチェルの姿を見た時、セイチャンは嫉妬《しっと》の炎が燃え上がるのを抑えることができなかった。何の意味もない、ただ自分の縄張りを守ろうとする本能的な反応だ。

「ごめんなさい」セイチャンは言い直した。「中に入って」

レイチェルはまるでライオンの檻《おり》に足を踏み入れようとするかのように、おずおずと部屋に入ってきた。「おじに手を貸してくれることに対して、ありがとうって言いたくて。一人で調査に出かけたりしたら……」

セイチャンは肩をすくめた。「決めたのはグレイだから」

「でも……」

「それに、あんたのおじさんのことは好きだし」口を突いて出た言葉が本心からのものであることに気づき、セイチャンははっとした。ホテルのスイートルームで顔を合わせた時、ヴィゴーは愛情を込めてセイチャンの腕に手を触れた。彼女の暗い過去を承知のうえで、すべてを包み込むかのような仕草だった。そんなさりげない仕草が、セイチャンの心には強く響いた。

「具合が悪くなってどのくらいなの？」

その質問に対して、レイチェルは何度かまばたきを繰り返し、息をのんだ。

セイチャンはレイチェルがまだ現実を完全には受け入れていないことに気づいた。涙があふれそうになっていることから推測するに、レイチェルは頭ではそのことをわかっているものの、きちんと向き合えていないのだろう。

少なくとも、声に出して認めることができずにいる。

セイチャンは椅子に座るように促しながら扉を閉めた。

「おじはそのことを話そうとしないの」レイチェルはこわばった口調で答えながら椅子に歩み寄り、クッションの端に腰を下ろした。「そうすることで私たちを守っているんだと、私を傷つけないようにしているんだと考えているみたい」

「でも、それがかえってつらいわけね」

レイチェルはうなずき、涙をぬぐった。「ごめんなさい」

「気にしなくていいわ」

「具合が悪いのかもしれないと気づいたのは、ずいぶん前になるわ。でも、ゆっくりとした、小さな変化の積み重ねだったから、気づかなかったこともあるし、気のせいだと思ったこともある。でも、ある日突然、現実を突きつけられるのよ。この旅行でもそう。そうなったら現実を否定することはできないわ」

レイチェルは両手で顔を覆い、そのまま大きく息を吸い込んだ。やがて両手を下ろす。気持ちを落ち着かせるのに苦労しているのが見て取れる。

「どうしてあなたにこんな話をしているのかしら」レイチェルはつぶやいた。

セイチャンにはその答えがわかっていたが、返事をしなかった。自分の心の内を明かしたり、自分の気持ちを確かめたりするのは、あまり知らない相手や親しくない相手の方がやりやすいからだ。

「あなたが……おじのことを見てくれるのがうれしくて」レイチェルは手を伸ばし、セイチャンの指を握った。「私一人きりだったらとても無理だわ」

セイチャンの体がこわばった。指を引き抜きたいという衝動に駆られたが、懸命にこらえる。代わりにそっとささやいた。「それなら、一緒にやればいいわ」

レイチェルはセイチャンの指を握り締めた。「ありがとう」

その親密さを不意に気まずく感じ、セイチャンは静かに指を引き抜いた。レイチェルが感謝しているのは、おじのことを一緒に見守ってくれるからだけではない。心の中の恐怖を打ち明ける相手になってくれたからでもある。心に秘めた不安は大きくなり、際限なしに成長する。不安を口に出すことで心の緊張は解き放たれ、たとえ一時的であっても不安の解消につながる。

「おじのところに戻らないと」レイチェルが立ち上がった。だが、部屋を出ようとして扉のところで立ち止まる。「グレイから聞いたんだけど、お母様が見つかったとか。よかったわね」

セイチャンは返答に詰まった。レイチェルの例にならって、本心を明かそうかと、自分の恐怖と戸惑いを打ち明けようかと考える。さほど親しくもない相手であれば、心を開くとどのように感じるのかを試すことができる。

けれども、セイチャンはこれまでずっと、他人に心を開かずにきた。

その流れを断ち切ることは難しい——特に今は。

「ありがとう」セイチャンは嘘で取り繕った。「本当によかったわ」

レイチェルは笑顔を浮かべながら部屋を出ていった。

扉が閉まると、セイチャンは光が差し込む窓に目を向けた。この先に控える問題に立ち向かわなければならない。三合会や母や北朝鮮でのごたごたは、すべて過去の話だ。

それでも、セイチャンの胃の奥のしこりが消えることはなかった。

心を開かなかったのは間違いだとわかっていたから。

韓国標準時午後一時十五分
北朝鮮　平壌

「彼女はモンゴルで何をしているのかね？」パク・ファンが訊ねた。

ジュロン・デルガドは北朝鮮の科学者の後について管理棟から外に出た。まだ収容所の敷地内にいる。身柄を拘束されているからではない。身の安全のためだ。

そう聞かされている。

真夜中に尋問室から助け出された後、事態を収拾するまでに数時間を要した。捕虜たちはアメリカ軍の助けを得て、北朝鮮をすでに出国した後だった。だが、今回の出来事が表沙汰になることは決してないだろう。

そのため、ジュロン・デルガドは厄介な状況に置かれていた。北朝鮮側は、とりわけパク・ファンは、鬱憤《うっぷん》を晴らす相手を、責任をなすりつける相手を見つけないことには気がすまない。最も手近にいるのがジュロンだった。

しかし、長年の経験に基づき、ジュロンは敵対国家への入国に際して事前に手を打っていた。数年前から、ジュロンは自分の商品には、今回のような取引の場合も含めて、ICタグを取り付けるようにしている。商品のきちんとした管理は商取引における基本中の基本だ。

捕獲したあの女暗殺者が薬で朦朧《もうろう》としていた間に、ジュロンは女の体に小型のGPS追跡装置を埋め込んだ。マカオの通りでの待ち伏せの際、彼女が運転するバイクにキャディラックで突っ込んだため、女は全身にすり傷や切り傷を負っていた。ジュロンはマイクロ追跡装置——切手ほどの大きさしかない薄い機器を、そんな傷口の下に差し込んで縫合《ほうごう》しておいたのだった。いずれ装置は発見されるだろうし、バッテリーも切れてしまうだろう。けれども、短時間であれば商品の動きを追うのにこれ以上有効なやり方はない。

今朝早く、ジュロンはこの切り札を使うことにし、パクに追跡装置の存在を明かした。昨晩の事件があったにもかかわらず、ここまで丁重な扱いを受けている理由はそれしか考えられない。将校用の寝室まで提供してくれたので、午前中に数時間の仮眠を取ることもできた。もちろん、熟睡できたわけではなかったが。仮眠を取る前に、ジュロンはマカオに連絡を入れ、追跡装置を起動させておいた。ただし、逃げ出した商品の居場所をつかむには予想よりも時間がかかってしまった。そんなに遠くまで捜索しなければならないとは、誰一人として想定していなかったからだ。

「モンゴルにいる理由はわからない」ジュロンは認めた。二人は収容所の尋問室が入っている建物に到着した。ここがそもそもの始まりだった。

パクの話では、この中にも重要なものがあるという。女を捕獲する手助けになるという話だ。ジュロンはパクの後について建物の奥に向かった。昨晩、パクと二人で閉じ込められた部屋に入る。

椅子には新たな囚人が縛りつけられていた。頭は力なくうなだれたままで、椅子の下には血だまりができている。両腕にはタバコを押しつけられた跡が見える。顔面は傷だらけのうえに腫れ上がっていたため、ジュロンはその人物が誰なのかすぐにはわからなかった。

ジュロンは囚人に駆け寄った。「トマズ！」

側近のトマズだ。

自分の名前が呼ばれたことに気づき、トマズはかすかなうめき声で答えた。

ジュロンはパクの方を振り返った。北朝鮮の科学者は笑顔を浮かべながら悠然と近づいてくる。昨晩は十分にできなかった拷問を、今日の午前中にほかの人間に対して行なったようだ。

「なぜだ？」ジュロンは怒りをあらわに訊ねた。

パクはタバコに火をつけ、先端が赤く輝くまで大きく息を吸い込んだ。今朝の拷問の際にも同じことを繰り返していたに違いない。

「教訓だよ」パクは煙を吐き出した。「我々は失敗を容赦しない」

「あの囚人の女が逃げたのは私のせいだというのか？」ジュロンはトマズを指差した。「それとも、彼のせいなのか？　説明しろ！」

「そうではない。君は私を誤解している。あの女が逃げた原因が君にあるとは思っていないよ。だが、君には彼女を再び捕獲する責任がある。彼女の行方を追い、我が国の特殊部隊の精鋭たちと協力して回収するのだ。アメリカ人があの女を救出したのには何らかの理由がある。我が国の政府はその理由を知りたがっている」

「紛失した商品の捜索は私の管轄《かんかつ》外だ」ジュロンは反論した。「私はサービスとして、あの女を君のもとに送り届けてやった。逃亡した時、あの女はすでに君の所有物だったのだ。私がその回収にまで責任を負う理由はない」

「商品の審査が不十分だった責任は君にあるのではないかね、ミスター・デルガド。君は我が国の政府が爆弾同然と見なす商品を国内に持ち込んだ。しかも、かなりの威力を持つ爆弾だ。あの女がアメリカ人にとってあれほどまで重要だとあらかじめわかっていたのなら、こちらとしても別の扱い方をしていただろう。君にはこの重大な過失と我が国に降りかかった多大な迷惑の穴埋めをしてもらわないといけないのだよ」

「嫌だと言ったら？」

パクは拳銃を取り出し、トマズの側頭部に銃口を当て、引き金を引いた。銃声の大きさよりもその凶行の衝撃のせいで、ジュロンの足がすくんだ。拘束具に固定されたまま、トマズの体から力が抜けた。

「さっきも言ったが、これは教訓だ」

パクは携帯電話を取り出し、ジュロンに向かって差し出した。

「これを聞けば、任務を成功させようという気持ちになるだろう」

ジュロンは呆然としたまま携帯電話を受け取り、耳に当てた。電話の向こうから恐怖に震える声が聞こえる。

「ジュロンなの？」

その声が誰のものなのか、それが何を意味するのかを瞬時に悟り、ジュロンの心臓が締め付けられる。「ナターリア？」

「助けて。知らない人たちが――」

パクはジュロンの手から電話を奪い取り、拳銃の銃口をジュロンの胸に向けた。パクの用心に抜かりはない。拳銃を向けられていなかったら、ジュロンは目の前の男の首をへし折っていただろう。だが、そんなことをすれば妻の命がない。

「君の奥さんは人質だ……息子も、と言った方がいいかな。香港のとある場所にいる。君が協力してくれる限り、二人に危害は加えない。だが、少しでも歯向かう気配を見せたら、医者に息子を摘出させて君の自宅に送り届ける。もちろん、奥さんの方はすぐには殺さないがね」

その代わりに、殺された方がましだと思うような目に遭わされるのだろう。

パクが笑みを浮かべた。「取引成立ということでいいかな？」

19

十一月十九日　ウランバートル時間午後一時二十三分
モンゴルの山間部

ダンカンは二時間もしないうちに数百年の年月をさかのぼっていた。

旧型のトヨタのランドクルーザーでウランバートルを出発した後、東に向かった一行は小さな炭鉱町を通り過ぎた。炭山、重機、すすに覆われたソヴィエト時代の建物など、数十年前から変わっていないと思われる光景だ。ところが、そこから北に進路を変えると、周囲の景色はポプラ、ニレ、ヤナギなどが密生する盆地へと一変した。

盆地のさらに先では、銀色の川が標高の高い起伏に富んだステップの草地を貫き、冬を迎えた草は茶色に変わっていた。遊牧民の小さな白い住居――サンジャルによるとこのあたりでは「ゲル」と呼ばれているらしい――が、嵐の荒波にもまれるボートのように、冬の草原の間に点在している。

ドーム状のテントのような形をした遊牧民の住居が広がる様を眺めながら、ダンカンは草原地帯の景色がチンギス・ハンの時代からほとんど変わっていないのではないかと感じていた。だが、盆地からさらに標高の高い地点に向かって登るにつれて、このような昔ながらの生活様式の中にも現代社会の影響が見えてくる。ゲルからは衛星テレビ用のパラボラアンテナが突き出している。その隣では、牛車の横に中国製の小型オートバイが置かれている。

曲がりくねった山道をゆっくりと進みながら、一行は前方に見える山々を目指していた。最北端の山々の頂《いただき》は雪に覆われている。タイヤの下の路面もアスファルトから砂利に、さらには泥へと変わる。ゲルは徐々にまばらとなり、その様式も伝統的なものが大半を占めるようになった。小屋の中ではヤギが飼育されていて、外には小型の馬がつながれている。ランドクルーザーが近づくと、シープスキンのジャケットに羽毛の耳覆い付きの帽子をかぶった小柄で日に焼けた肌の住民たちが、車を見ようとゲルの外に出てくる。

ハンドルを握るダンカンが軽く手を振ると、全員が熱心に手を振り返してくれる。サンジャルの説明によれば、モンゴルでは他人を歓迎する気持ちがとても大切にされているという。

助手席に座るモンクがナビゲーター役を務めていた。膝の上に地図を広げ、手には携帯型のGPSを握っている。「次を左折すればいいみたいだな。その道を進めば捜索範囲にたどり着ける」

「範囲」というのは曖昧《あいまい》な表現だ。衛星の残骸が落下したと思われるのは、縦横百五十キロの正方形の地域に及んでいる。それでも、昨日の時点での縦横七百キロに比べれば、かなり絞り込まれた方だ。

　ダンカンはハンドルを左に切り、じりじりするようなペースで山道を進んだ。ランドクルーザーの四輪駆動の性能に挑むかのような地形が続く。むき出しの岩肌や草地の間に、カラマツの森が茂っている。雨で道の一部が流されてしまっているところもあるため、慎重なハンドルさばきが要求される。

「この地域が政府による特別な保護を必要としているようには見えないけどな」ダンカンは感想を述べた。「大自然が十分にその役目を果たしているんじゃないのか？」

　ジェイダと並んで後部座席に座るサンジャルが身を乗り出した。「だから我々の祖先はこの山々を墓地に選んだのです。この地域一帯にはいくらでも墓があります。墓の上に別の墓が造られている例もあるのですから。残念なことに、墓の盗掘が大きな問題になっています。地元の住民たちが古い墓をあさり、街からやってきた仲介業者たちが車で回りながら掘り出された品物をすべて買い取って、中国で売りさばいているんです」

　サンジャルは前方に見えるひときわ高い山を指差した。山頂付近が丸みを帯びた形をしている。「あれがブルカン・カルドゥンで、我々にとって最も神聖な山です。チンギスの生誕地と言われている山で、チンギスが埋葬されているのもあそこだと多くの人が信じています。山の下の大きな地下墓地に埋葬されているという説を唱えている人もいて、そこにはチンギスの遺体と財宝だけではなく、最も有名な孫のフビライ・ハンをはじめとする子孫の遺体もあると考えられています」

「発見したらとんでもない価値になりそうだな」ダンカンはつぶやいた。

「大勢の人が何百年も前からチンギスの墓を探しています。その過程で、略奪や破壊行為も行なわれてきました。環境と我々の遺産を保護するために、政府はこの一帯への立ち入りを制限しています。その範囲は上空にも及んでいるのです」

移動手段として車を選んだ理由の一つがそれだった。だが、そのほかにも理由がある。この地域を撮影した衛星からの映像を調査した結果、軍事衛星が墜落した形跡はまったく発見できなかった。そのため、ヘリコプターや航空機からの捜索は効果が期待薄だとして見送られたのだった。

再突入の際に衛星が完全に燃え尽きてしまった可能性も否定できない。今回の捜索がまったくの無駄足に終わるということもありうる。だからと言って、何もしないでいるわけにもいかない。

「立ち入りが制限されているのには別の理由があることもお伝えしておかないといけません」サンジャルが言った。

ジェイダがサンジャルを見た。「どんな理由なの?」

「チンギス自らがこの地域を神聖な地だと宣言したと言われているのです。地元の住民の多くは、チンギスの墓が見つかって暴かれるようなことがあれば、世界は終わると信じています」

ダンカンはうめき声をあげた。「まいったな。俺たちが彼の墓を発見したら世界は終わる。発見できなくても、世界は終わる運命にあるわけだ」

「どっちに転ぶにしても手の打ちようがない」ジェイダがつぶやいた。

ダンカンがバックミラーをのぞくと、ジェイダは小さく微笑んだ。

「今回の調査に出発する前、クロウ司令官がそんなことを言っていたの」ジェイダは説明した。

「司令官の言う通りだったみたいね」

モンクが地図を見たまま反応した。「ペインターの言うことはたいてい正しいんだよな」

午後二時四十四分

一時間後、後部座席でうとうとしていたジェイダの耳に、ダンカンの大きな声が聞こえた。

「さあ、終点に着いたぞ！」

目をこすりながら体を伸ばしたジェイダは、本当に道の終わりまで達したことに気づいた。未舗装の山道をふさいで五つのゲルが並んでいる。車がゲルに近づくと、放し飼いのヤギが走って逃げていく。ゲルの奥には放牧地があり、馬の群れが草を食《は》んでいた。

捜索範囲内に入った後、道から離れてここに立ち寄るよう勧めたのはサンジャルだった。この集落は地図には載っていない。サンジャルの意見では、衛星を発見するためには地元の人に聞くのがいちばんだというのだ。

「彼らは一本一本の枝の動きから風向きの変化まで、このあたりのことならすべて知っています」サンジャルは請け合った。「何か大きなものが墜落したのであれば、絶対に気づいているはずです」

ランドクルーザーが停止すると、サンジャルが真っ先に外へ出た。「後についてきてください」

車から降りると、外は冷え冷えとしている。ジェイダは長時間動かさずにいた脚のストレッチをして凝りをほぐした。全員が降りたのを確認してから、サンジャルはいちばん近くにあるゲルに向かった。

「ここの人たちを知っているのか？」モンクが訊ねた。

「いいえ、直接の知り合いではありません。でも、ここはけっこう知られた集落なんです」

サンジャルは頑丈な木製の扉に近づき、ノックをせずに引き開けた。あらかじめ聞いていた説明によると、こうするのがモンゴルの伝統で、他人を歓迎する気持ちが大切にされていることの表れなのだという。扉をノックしたりすれば、中に住む家族に対する侮辱と見なされる。その人たちの親切さや心の温かさを疑っていることになるからだ。

サンジャルはまるで勝手知ったる自分の家のように中へ入っていく。

三人もやむをえず、彼の後についてゲルに入った。ジェイダはサンジャルから聞かされていた通り、敷居を踏まないように気をつけ、円形のテントの中に入ると伝統にならって右に向かった。

内部は思いのほか広くて暖かい。天井は木製の梁で支えられていて、壁には格子状の枠がはめられている。防風および防寒対策として、ヒツジの毛皮とフェルトが屋根と壁を何層にも覆っていた。

まるで来客を予期していたかのように、笑顔がジェイダたちを迎えた。四人家族で、五歳にも満たないと思われる小さな子供が二人いる。デールと呼ばれる民族衣装を着た夫は襟のボタンをしっかりと留めていて、ジェイダたちに向かってスツールに座るよう促した。

ふと気づくと、ジェイダの目の前に熱いお茶の入ったカップが差し出されていた。カップを包む手のひらにぬくもりが伝わる。中央の暖炉にかけられた鍋が煮えていることからすると、早めの夕食の準備をしていたようだ。カレーと蒸したマトンのにおいがする。ジェイダの前にボウルと皿が置かれた。妻は満面の笑みを浮かべながら、身振りを交えて食べるように勧めている。

「ボルツという干し肉のスープです」サンジャルが説明した。「とてもおいしいですから。皿の上にある割れた陶器のかけらのようなものは、アーロールと呼ばれるチーズです。体にいいんですよ」

失礼に当たるといけないと思い、ジェイダはチーズのかけらを口に運んだ。見た目だけでなく、かたさもまるで陶器のようだ。キャンディーのようになめているしかない。家族やサンジャルを見ると、どうやらそれが正しい食べ方のようだ。

〈真似して食べるしかなさそうね……〉

サンジャルはこのあたりの方言を使って家族と話を始めた。身振りを交えつつ、何度も言い直しながら会話を進めている。そのうちに夫が何度も大きくうなずき始め、北東の方角を指差した。

ジェイダはその動作がいい知らせであることを祈った。

その後も話が続いたが、ジェイダはその様子を見ながら食べる以外にすることがなかった。隣に目を向けると、子供たちがモンクの義手を物珍しそうに眺めている。モンクは一人の男の子を膝の上に乗せ、手首から義手を外して見せた。それでも、義手の指はまだ動いている。

ジェイダは少し気分が悪くなった。

だが、子供たちは大喜びしている。

ようやくサンジャルが自分のボウルをつかみ、スプーンでスープをかき込んだ。食べながら説明が始まる。「ここの主人のチュローンによると、北からやってきて昨日ここを通りかかった人から話を聞いたそうです。空に火の玉が見えたとか。隣の山の雪線《せっせん》付近にある小さな湖に落ちて、湖の水が沸騰したらしいですよ」

モンクが顔をしかめた。「残骸は水中にあるのか。道理で衛星で捜索しても見つからなかったはずだ」

「だったら、どうやって回収すればいいの？」ジェイダは訊ねた。

潜水用具どころかウエットスーツすら用意していない。

「向こうに着いてから考えることにしよう」モンクが答えた。「その湖を発見し、墜落地点であることを確認してから、必要な装備を運んでもらえばいい」

サンジャルは別のことを心配していた。「気をつけてください。その場所まではかなり危険な道のりになります。車では行かれません。チューローンに馬を四頭貸してほしいとお願いしてあります」

ジェイダはその移動手段に気乗りがしなかった。馬に乗れないことはないが、あまり得意ではない。

〈でも、ほかに選択肢はなさそうだし〉

「貸してくれそうか？」モンクが訊ねた。

「ええ。そればかりか、そこまでの案内人として親戚の一人を同行させてくれるそうです。うまくいけば、日没までに湖にたどり着けるかもしれません」

モンクは立ち上がった。「それなら出発だ」

ジェイダもモンクにならい、立ち上がると家族に向かってお辞儀をした。チューローンは外に出ると、子供の一人に言いつけて隣のゲルへと走らせた。親戚を呼んでくるように指示したのだろう。

チュローンはゲルの隣に広がる草地と深い森の先に見える山を指差した。標高の高い地点の山肌は雪に覆われている。

あそこが目的地なのだろう。三十キロあるかどうかといった距離だ。ここまで近づいたと思うと同時に、不安が募ってくる。双肩にかかる責任の重さを感じる。世界は自分の答えを心待ちにしている。その答えが見つからなければ、間近に迫った世界の終わりを回避することはできない。

そんな彼女の不安を読み取ったかのように、ダンカンが隣に寄り添った。ジェイダの心の中の疑問に答えてくれている。

〈こうすればいいのさ〉

みんなで力を合わせて答えを探せばいい。

隣のゲルの方から物音が聞こえる。ジェイダが視線を向けると、まだ十八歳くらいの若い女性が、シープスキンのジャケットの襟元をしっかりと留めながら勢いよく飛び出してきた。風に翻る黒髪は背中の真ん中あたりまで垂れている。女性は手にしていた革紐を使い、手際よく髪を三つ編みにまとめた。それが終わると、ゲルの脇に置かれていた弓を手に取り、矢筒を肩に掛ける。もう片方の肩にはライフルを担いだ。

〈この女性が案内人なのだろうか?〉

女性が近づいてきた。膝下まであるブーツはかなりはき古しているように見える。「ハイドゥと言います」女性は訛《なま》りの強い英語で自己紹介した。「ウルフファングへ行きたいとうかがいました。私が連れていきます。いい時に来てくれました」

なぜかこの女性もすぐに出発したがっている様子だ。

ゲルの入口に年配の男性が姿を現し、女性に呼びかけた。

だが、ハイドゥは返事もせずに歩き続ける。

サンジャルが説明した。「あの男性は彼女の婚約者です。どうやら親同士が決めた結婚のようですね」

〈ここを離れたがっているのも無理ないわ〉

四人は放牧地に向かう女性の後を追った。

モンクが笑顔を浮かべている。「旅の楽しみができたな」

「奥さんがいるくせに」ダンカンがモンクを肘でつついた。「子供もいるじゃないですか」

モンクはダンカンをにらみつけた。「現実に引き戻さないでくれよ」

ジェイダはため息をついた。

〈やっぱり、一人で捜索する方がいいかもしれない〉

午後三時三十三分

馬の背に揺られて標高の高い盆地を進みながら、ダンカンは雪に覆われたウルフファングを見上げた。湾曲した牙が空に向かって突き出しているかのようなその形状を見ると、「オオカミの牙」を意味する名前もうなずける。

太陽が顔を出したために気温が上がり、さっきまでのひんやりとした空気はどこかに消えてしまった。格好の乗馬日和《びより》だ。周囲の岩がちの地形も趣を添えてくれる。蹄《ひづめ》の音を響かせながら、一行はヤマアラシガヤの草地を走り抜け、ブルーベリーやブラックベリーの茂みに囲まれたシラカバの森を避けて進んだ。

だが、ジェイダには乗馬を楽しむ余裕があまりなさそうだ。馬の扱いもどこかぎこちない。そのため、ダンカンは馬を並べて進めていた。

モンクが最後尾につき、気の強そうなハイドゥとサンジャルが先頭に立っている。だが、その二人を先導しているのはヘルだった。

昨夜はアルスランの手下に棒で殴られたものの、ハヤブサはすっかり元気を回復していた。抜けるような青空に高く舞い、自由に飛び回りながらも、時折サンジャルが吹く口笛の指示に従っている。

サンジャルが隣に並ぶハイドゥの目を意識してハヤブサを扱っていることは一目でわかる。どうやら狙い通りの効果があったようだ。ハイドゥはしばしば馬を寄せてサンジャルに質問をしたり、周囲の風景を指差して説明したりしている。

一方、ジェイダは空に目を向けることなく、馬の蹄の下を通り過ぎる地面ばかりを見つめている。

滑りやすい頁岩《けつがん》の斜面を上りながら、ダンカンはジェイダを安心させようとした。自分が乗る牡馬《ぼば》のまだら模様の入った首をぽんと叩く。「馬を信用しなよ。このあたりの地形のことはこいつらがいちばんよく知っている。この屈強なモンゴル馬は、かつてチンギス・ハンが乗っていた馬の血筋を引いているんだから」

「つまり、旧型モデルということよね」ジェイダは微笑んだが、平静を装おうとして無理に作った笑顔に見えなくもない。

数分後、一行は狭い道に入った。道の片側は急峻《きゅうしゅん》な断崖になっている。ダンカンはジェイダの隣に並び、彼女の馬とはるか下のとがった岩まで見通せる崖との間に自分の馬を入れた。こんなところでパニックを起こされたら大変なことになる。彼女の気を紛らそうと、ダンカンは専門分野の話をした。

「実際のところ、あの衛星が墜落した時に何が起きたんだと思う?」ダンカンは訊ねた。「どうしてあんな画像を撮影したんだろう?」

ジェイダがダンカンの方を見た。このような話題ならば大歓迎のようだ。「ダークエネルギーは時空に関係しているの。あれだけの量のエネルギーを地球の重力場に引き入れたせいで、地球の周囲の滑らかだった時空の曲率にしわが生じたのよ」

「それで時間の針が飛んだというわけか」ダンカンは応じた。「あと、衛星が量子レベルで彗星ともつれているのではないかとペインターに言ったそうだね」

「ある程度の量のダークエネルギーを吸収したのなら、その可能性があるわ。衛星の残骸を発見できれば、もっと詳しくわかるんだけれど」

「それなら、逆の視点から考えてみよう」

再びジェイダがダンカンを見た。

「十字架のことだよ」ダンカンは説明した。「十字架はあの彗星が前回地球に接近した時に落ちてきたかけらだと仮定しよう。あるいは、その時に彗星のかなり近くを通過した小惑星で、チンギスの体の組織のように彗星のエネルギーを吸収し、その後で隕石として地球に落下したと考えることもできるな」

ジェイダはうなずいた。「今の二つ目の意見は考えてもいなかったわ。でも、あなたの言う通り、その可能性もあるわね」

「そのどちらなのかはあまり重要ではない気がする。もっと大きな謎は、十字架がどうやって使徒トマスに世界の終末を予言する能力を授けたのかということだ」

「なるほど、いい質問だわ」

「この質問には降参かな、ドクター・ショウ？」

「そんなことないわよ」ジェイダの声からはダンカンの挑戦に負けまいという意気込みがうかがえる。「三つの事実を考慮しないといけないわ。まず一つは、ダークエネルギーは量子力学において欠かすことができない要素だということ。宇宙全体に存在する一定不変の存在なのよ」

「そのことは前にも聞いたよ」

「二つ目は、電磁放射に敏感な人がいるということ。体内に磁石を埋め込んでいない人の中にもね」

ジェイダはダンカンの指先を見つめた。

ダンカンは電磁過敏症という概念に関して調べたことがあった。送電線や携帯電話の基地局の近くに長時間とどまると体調が悪くなり、頭痛、疲労感、耳鳴り、ひどい場合には記憶喪失を発症する人がいる。その一方で、好影響を受ける人も少なくない。例えば、Y字型の棒を持って歩きながら地下水や地中に埋まっている金属、あるいは宝石を探す「ダウザー」と呼ばれる人たちには、地中の磁場の勾配のごくわずかな変化を検知できる能力が備わっていると考えられている。

「三つ目」ジェイダの話は続いている。「神経科学者の間の共通認識によると、人間の意識は我々の脳という膨大なニューラルネットワークによって生成される量子場の内側に存在しているということよ」

「つまり、意識は量子効果というわけか」

ジェイダの顔がほころんだ。「この三つ目の考え方に対しては、昔から安心感のような思いを抱いているの」

「なぜだい？」

「それが本当なら、量子力学の本質上、私たちの意識は様々な多元宇宙の間でもつれ合っていることになるわ。私たちが死んでも、それはこの時間軸におけるポテンシャルが崩壊しただけで、意識は私たちがまだ生きている時間軸に移動していくのかもしれないじゃない」

ダンカンの怪訝《けげん》な表情に気づいたのか、ジェイダは具体的な説明をした。「癌《がん》を例に考えてみるといいわ。癌は体内のある細胞が間違った分裂をすることでできる。細胞分裂の際のこの小さな誤りは、健康な体であっても常に起こりうるわ。正しく細胞分裂すれば、癌にならない。誤りが生じると、癌になる。遺伝のコイントスのようなものよ。表が出るか、裏が出るか」

ダンカンは表情が歪んだのを悟られまいとした。ジェイダの言葉が生々しく心に突き刺さる。ダンカンは胸に彫った掌紋《しょうもん》の刺青に手のひらで触れた。弟のビリーのことを思い浮かべる。病院のベッドに横たわった弟は骨と皮ばかりに痩せ衰え、人を食ったような笑顔もうつろだった。ビリーは遺伝のコイントスの賭けに負け、骨肉腫《こつにくしゅ》でこの世を去ったのだ。

　そんなダンカンの反応に気づかず、ジェイダは話を続けている。「でも、もし私たちが多元宇宙の間でもつれ合っているとしたら？　そうだとしたら、不思議な可能性が生まれる。ある宇宙において癌で死んだとしても、ほかの宇宙ともつれ合っているならば、意識は癌にかからなかった別の宇宙に移動することができる」

「そして生き続ける、ということなのか？」

「少なくとも、意識は生き続けるわ。ほかの宇宙の意識と融合して。このことは繰り返し起こり、そのたびにまだ生きている時間軸に移動して……最後まで人生を全《まっと》うすることができる」

　ダンカンはその可能性に慰めを見出しながら、再びビリーの顔を思い浮かべた。

「でも、その後はどうなるんだ？」ダンカンは訊ねた。「すべてのポテンシャルが崩壊して一つの宇宙だけとなり、そこでも死んでしまった場合は？」

「わからない。でも、そこが宇宙の素敵なところだわ。新しい謎が尽きることはない。もしかしたら、すべては単なるテストなのかも。壮大な実験なのよ。私たちの宇宙はホログラムにすぎないと主張する物理学者は少なくないわ。この宇宙という球体の内側の面に記された方程式に基づいて作成された、３Ｄ模型だということなのよ」

「でも、誰がその方程式を書いたんだ？」

　ジェイダは馬にまたがったまま肩をすくめた。「神の手かもしれないし、高度な力かもしれないし、超知性なのかもしれないわね」

「話が脇道にそれてしまったみたいだな」ダンカンは使徒トマスと彼の見た幻覚に話題を戻した。「君の言う三つのポイントを要約すると、人間の脳は量子的に機能し、ダークエネルギーは量子力学の作用であり、電磁場に極めて敏感な人がいる、ということだ」

ジェイダがダンカンの顔を見た。「その三つを関連づけられるかしら？」と挑んでいるかのような表情だ。

ダンカンは彼女の挑戦を受けて立つことにした。

「君は使徒トマスが敏感だったと考えている。そのため、彼は十字架から発するダークエネルギーの影響を特に受けやすかった。そのエネルギーが彼の脳の量子場をひずませたために、世界の終わりの幻覚を見たんだ」

「あるいは、もっと簡単な説明の仕方があるかも」

「例えば？」

「奇跡だったのよ」

ダンカンは大きくため息をついた。「科学であろうと奇跡であろうと、『神の目』と使徒トマスの心の目がまったく同じ瞬間の映像をとらえたことは、とてつもない偶然の一致のように思えるんだが」

「『神はサイコロを振らない』」ジェイダはアインシュタインの言葉を引用した。

〈なるほど〉

「偶然の一致ではないと思うの」ジェイダは話を続けた。「いいこと、時間は次元にすぎない。過去とか未来とかへの一定の流れがあるわけじゃないのよ」

「言い換えれば、『過去、現在、未来の違いは、頑固なまでに消えることのない幻想にすぎない』」ダンカンはジェイダに向かって片方の眉を吊り上げて見せた。「俺だってアインシュタインの引用くらいできるさ」

ジェイダが大きな笑みを浮かべた。高校生と言ってもおかしくないほど幼く見える。「だったら、時間を空間内のある一点だと考えてみて。『神の目』も、使徒トマスの心の目も、時間の中の同じ一点、おそらく彗星から放出されるダークエネルギーのコロナが地球に最も接近した時点を見ていたんだと思うの。レコードプレーヤーの針がレコード盤の傷で飛んだ時のように、どちらの目もそこにはまってしまって、曲の同じ箇所を繰り返し再生していたんだわ」

「この場合は映像だ。廃墟《はいきょ》と化した地球の姿を見させられていたんだ」

ジェイダはうなずいた。

「でも、その時が来たら実際には何が起きるんだろう？」

「クロウ司令官から聞いた南極での出来事を考え合わせると、コロナが最大値に達した時のダークエネルギーは、通常は重力がしているように、地球周辺の時空をひずませるんじゃないかと思う」

「なぜなら、『ダークエネルギーと重力というのは、密接に絡み合った概念』だから」ダンカンはジェイダの言葉を引用した。

「その通りよ。ただし、今度の場合は、時空のしわができるのではなく、通路のようなものができる。ビー玉が斜面を転がり落ちるように、その通路を伝って隕石が雨のように降り注ぐのよ」

「きれいな流れ星だと言って見とれている余裕はなさそうだな」

「理論にすぎないけど」

だが、ジェイダの顔つきを見る限り、彼女はそうなると確信しているようだ。

そのままジェイダはしばらく黙りこくっていた。何かを気にするような表情を浮かべている。

「どうしたんだ?」ダンカンは訊ねた。

「よくわからないの。まだ何かを見落としているような気がして」

さらに話を進めるよりも先に、前方から大声が聞こえた。断崖沿いの道の終わりに達していて、その先には広々とした高原が見える。真正面にはとがった山頂を持つ山がそびえていた。上空を飛ぶハヤブサを従えながら、サンジャルが馬を走らせて戻ってくる。「ウルフファングに到着しました!」

「ほらね、そんなに大変な道のりでもなかっただろう?」ダンカンはジェイダに声をかけた。

「いちばん大変なところを切り抜けたから、ここから先は何の心配もいらないはずさ」

午後三時三十四分

「やつらを発見しました」報告を入れるアルスランの声が電話から聞こえてくる。

政府宮殿の中の自分のオフィスで電話を取ったバトゥハンは、体にぴったりと貼り付くドレスとジャケット姿の若い女性秘書に向かって、席を外すように手で合図した。秘書の服装は西洋風で、モンゴルの伝統的な要素は微塵《みじん》もないが、体の線がはっきりと浮き出るスタイルは悪くない。チンギス・ハンの財宝を元手にこれから自分が築く新たなモンゴル帝国には、西洋の習慣の一部を取り入れる必要がありそうだ。

チンギスの陵墓を発見した後の計画については、すでに頭の中で具体的に思い描いている。まず、最も高価な財宝の中から融かしたり宝石類を取り外したりできるものを選び、密かに国外へと運び出し、市場に売却して富を手に入れる。次に、陵墓の発見を世界に向けて発表し、名声と権力を我が物にする。モンゴル国内だけではなく、アジア全土で最も裕福な人間になるのが夢だ。かつての先祖のように世界を征服し、自らが富と権力の帝国の頂点に立つ。

けれども、その前に片付けておかなければならない案件がいくつか残っている。

カザフスタンでの嵐が治まった後、アルスランの手下たちは相手が死んだことを確認するとともにヘリコプターを回収するため、アラル海に戻った――ところが、ヘリコプターが消えていたのだ。

操縦士が一人で脱出したのか、あるいはほかに生存者がいるのかは、まったく手がかりがなかった。ただし、たとえ生存者がいるとしても、バトゥハン自身に影響が及ぶ気遣いは無用だ——自分の正体を知るのはアルスランただ一人だからだ。それでも、念のための措置として、ウランバートルからヘンティー山脈に至るまでのステップ一帯に、スパイを送り込んでおいた。その地域に通じる道のすべてを監視下に置いておけば、生存者がチンギスの陵墓の捜索を続けて聖なる山地に踏み込んでもすぐにわかるからだ。

正直なところ、この監視網に何かが引っかかるとはあまり期待していなかった。バトゥハンは今でもあの山々のどこかにチンギスの陵墓があると信じている。スパイたちはその山々を見張るために送り込まれたにすぎなかった。奪い取った遺物を詳しく調べ、墓の在り処を特定するまでの間、余計な邪魔が入らないようにするためだった。

自ら尋問しようと考えていたタラスコ神父が死んだことは残念でならない。チンギスは拷問を毛嫌いしていた。だが、バトゥハンはそのことがチンギスの最大の弱点だと考えていた。

そんなところに、この知らせが届いたのだ。

「やつらをどうしましょうか？」アルスランが訊ねた。

「連中はどのくらい先行しているのだ？」

「我々との差は一時間ほどありますが、これまでのところ、気づかれないように行動している様子はまったく見受けられません」

「それなら、その差がさらに三十分ほど広がったところで大した問題にはなるまい。最も忠実な部下たちを呼び集めよ。剣と弓矢の扱いに秀でた者たちを選抜するのだ。騎馬軍団を編成しろ。私も後で合流し、攻撃を先導する」

「かしこまりました、ボルジギン様」

アルスランの声には激しい欲望がみなぎっている。

それと同じように、バトゥハンの血も騒いでいた。これまでステップで戦闘訓練を行なったことはあるものの、人形や模型を使った戦いばかりだったため、負傷者が出たとしても落馬による腕の骨折程度だった。これから自分は新たなモンゴル帝国の皇帝に就く。その皮切りとして敵を血祭りにあげるのも悪くない。

だが、バトゥハンの血が騒ぐ最大の要因は、生きた人間の胸を矢で射抜いてみたいという昔からの願いが実現しそうだったからだ。ようやくその機会が巡ってきた。

「もう一つ、お知らせしておくことがあります」アルスランが続けた。「裏切り者のサンジャルがやつらに同行しています」

〈なるほど、だからそんなにも憎しみのこもった声だったのか〉

バトゥハンはカザフスタンから戻った直後のアルスランの顔を思い返した。頭頂部には骨にまで達する傷があり、頬も鉤爪で大きく切り裂かれていた。顔面をずたずたにされたアルスランが復讐《ふくしゅう》の機会を欲していることは容易に推測できる。

その願いはかなうだろう。

裏切り者には教訓を与えなければならない。

オフィスのインターホンが鳴った。「バトゥハン大臣、四時に面会のお約束をされている鉱業コンソーシアムの方が二名、到着されました」

「少し待っていてもらってくれ」

アルスランとの通話を終えると、バトゥハンは面会の予定をキャンセルしようかとも考えた。だが、これは大きな利益をもたらす契約につながる可能性がある。多額の金が動けば、新たな帝国を築く重要な礎《いしずえ》となるだろう。

バトゥハンはインターホンのボタンを押して秘書に指示した。「通してくれたまえ。あと、お茶を頼む」

相手は西洋人だからコーヒーの方が喜ぶかもしれなかったが、バトゥハンはどうしてもコーヒーの味が好きになれず、伝統的なモンゴル茶を好んでいた。

〈そろそろアメリカ人にも我々の伝統を学んでもらわなければならない〉

扉が開くと、背の高い男が入ってきた。瞳は灰色がかった青で、精悍《せいかん》な顔つきをしている。バトゥハンは男から軽い威圧感を覚えた。敵に回したら手ごわい相手になりそうだ。男に続いて助手が室内に入ってきた。上品なスーツ姿のユーラシア系の女だ。女から脅威を感じることなどめったにないバトゥハンだったが、この女を前にすると全身の毛が逆立つような感覚に襲われた。

〈なかなか面白い〉

バトゥハンは二人に椅子を勧めた。

「どのようなご用件ですかな？」

20

十一月十九日　ウランバートル時間午後三時五十分
モンゴル　ウランバートル

グレイは瞬時に目の前の男が敵だと察した。

机を挟んで向かい側に座るバトゥハンは、友好的な表情を浮かべ、丁重に応対している。人柄も穏やかそうだし、五十代後半という年齢の割には健康な体つきをしているように見受けられる。けれども、仮面の下から別の人間が顔をのぞかせていることに、グレイは気づいていた。瞳の飢えた輝き、セイチャンの体をなめるように見回す視線、机の上で無意識のうちに握り締めている拳。

採掘権、石油の先物取引、政府の規制などに関する話し合いの間、男は終始どこか落ち着きのない様子だった。時間を気にして時計に目をやる回数が多すぎる。

ワイヤレスの盗聴器はすでにセイチャンの手によって相手の机の下側に設置済みのため、この会合が終わった後も室内で交わされる会話を聞くことができる。だが、この部屋を巣とするクモの正体を探るためには、張り巡らされた糸を揺さぶらなくてはならない。

椅子に座ったままグレイが体を動かすと、バトゥハンの机の左側にあるキャビネットが目に留まった。モンゴルの遺物が並んでおり、陶磁器や武器のほか、小さな葬送用の像も数点置かれている。木彫りのオオカミも二体あった。

「ちょっと失礼」グレイは相手をいらだたせるために、大臣の話を故意に途中で遮った。「近くで見てもかまいませんか？」

「もちろん、どうぞ」バトゥハンはコレクションを見ながら誇らしげに胸を張った。

グレイは立ち上がり、ガラスのケースに歩み寄った。体を折り曲げ、小さな木彫りのオオカミに鼻先を近づける。「市内のあちらこちらでオオカミを見かけました。『蒼き狼』という名前の場所が数多くありますね」

ガラスに映るバトゥハンの唇の端にわずかだが力が入る。秘密を抱える者が見せがちな仕草だ。

〈怪しいな……〉

「意味があるのでしょうか？」そう訊ねながら、グレイは向き直って相手の顔を正面から見据えた。

「我々の民族の創世の神話にまでさかのぼるのですよ。モンゴル民族は白き牝鹿『コアイ・マラル』と、蒼き狼『ボルテ・チノ』を祖先とすると言われています。チンギス・ハンも『蒼き狼の首領』という氏族名を名乗っていました」

相手の声がかすかに震えるのをグレイは聞き逃さなかった。

この男が敵なのは、ボルジギンと名乗る謎の人物の正体なのは、もはや疑いようがない。

「どうして今もなお、そこまでオオカミに執着しているのでしょうか？」セイチャンがグレイと同じ疑問を口にした。体を動かしながら長い脚を伸ばすと、すらりとした足首があらわになる。

「オオカミはこの国において、特に男性にとっては、幸運の印なのです」バトゥハンはセイチャンの脚から視線をそらすのに苦労している。「オオカミは飽くことのない食欲の象徴でもあります」

「どういうことでしょうか？」訊ねながらセイチャンは脚を組み替え、相手の注意をそらし続ける。

「オオカミは自分が食べられる以上の獲物を殺します。我が国の言い伝えによると、神はオオカミに対して、ヒツジが千匹いたらそのうちの一匹を食べてもよいと認めました。ところが、オオカミは神の言葉を誤解しました。ヒツジを千匹殺すごとにそのうちの一匹を食べたのです」

その言葉からは羨望《せんぼう》の響きに加えて、脅迫の意図がかすかに感じ取れる。

バトゥハンは大げさな仕草で腕時計を確認した。「ビジネスの話はこれくらいでよろしいですかな。時間も遅くなってきましたので。ほかにも片付けなければならない案件があるものですから」

〈大臣としての仕事以外で忙しいに違いない〉

グレイは手短に話をまとめてから、別れの挨拶をした。オフィスの外に出て扉が見えなくなると、小型のイヤホンを耳に挿入する。

隣を歩くセイチャンが小声で話しかけた。「あのオオカミの話で相手の不安をかき立てることができたと思う？」

その答えはすぐにイヤホンから聞こえてきた。バトゥハンが秘書に向かって、今日のこの後の予定をキャンセルするように伝えている。それに続いて電話で別の人物に指示を与える声は、厳しい命令口調だ。

「ウランバートル市外に出かける。私が留守の間、倉庫の荷物を厳重に警備しておけ。絶対に目を離すんじゃないぞ」

グレイはセイチャンに向かって親指を立てた。

こちらの話に動揺した相手の後を追えば、盗んだ遺物の隠し場所まで導いてくれるのではないかと目論《もくろ》んでいたが、今の電話だけで十分だった。モンゴルの法務大臣の資産に関してはキャットがすでに調査済みだが、彼がウランバートル市内に所有している倉庫は一つしかない。

表通りに出ると、グレイはタクシーを呼び止めた。装飾豊かなモンゴルの宮殿、ソヴィエト時代のコンクリート製の建物、落ち着いた仏教寺院などが奇妙に混在する市内を移動する。大気汚染とスモッグの影響で、建物の上の空はもやがかかったかのようにかすんでいる。

グレイは隣に座るセイチャンの手を握って顔を近づけ、恋人同士が内緒話をするかのように彼女の耳元でささやいた。「一緒に下水道を探検してみないか?」

セイチャンの顔に笑みが浮かんだ。「あまり聞いたことのない口説き文句ね」

午後四時二十八分

太陽が西の空に傾く中、セイチャンはマンホールのふたをこじ開けるグレイの隣に立っていた。マンホールの下には、世界で最も寒い首都の地下に張り巡らされた蒸気暖房用のトンネルがある。都市の地下から熱気が地上へと噴き出してくる。

それとともに、かすかな歌声も聞こえてきた。遠くで子供の合唱団が歌っているかのような声だ。

高温の地下世界には似つかわしくない、甘い歌声。

「この下で暮らしている人々がいるらしい」グレイが言った。

かつてはセイチャンもこのような人目につかない場所で生活していた経験がある。彼らは寒さをしのぐために、ストリートチルドレンの仲間たちとともに身を寄せ合って生きているのだ。ウランバートルは失業率が高いうえに、共産主義から民主主義への移行期に当たっているため、社会の仕組みからこぼれる人々が少なくなく、その中には数多くのホームレスの子供たちも含まれる。

グレイが先にマンホールの中に入った。すぐ隣にあるアパートの建物が投げかける影に当たるため、地下への侵入が人に見られる心配はない。ここから目的地の倉庫までは、ほんの数ブロックの距離だ。ワシントンでキャットがウランバートル市の記録から入手した倉庫の設計図によると、このマンホールから通じる蒸気暖房用のトンネルが建物の真下を通っており、そこから倉庫へ入れることが判明した。

セイチャンもグレイに続いて梯子《はしご》を下りた。まだ明るさの残る冷たい外の世界から、暗く暖かいトンネル内へと入り込む。梯子を一段下りるごとに温度が上昇し、すぐに耐えられないほどの熱気になる。しかも、ごみと排泄《はいせつ》物の強烈なにおいが鼻をつく。人間の糞尿《ふんにょう》も混じっているに違いない。

グレイが懐中電灯のスイッチを入れ、トンネルの床に下りた。

セイチャンもグレイの隣に並んだ。頭上のパイプで頭を火傷しそうになり、あわてて体をかがめる。セイチャンは自分の懐中電灯のスイッチを入れ、トンネルの内部を照らした。通路は四方向に分岐している。一本のトンネルの先で動きがある。懐中電灯の光が恐怖に怯えた小さな顔をとらえた。

だが、その顔はすぐに消えた。

いつの間にか、歌声もやんでいる。

おそらく地下のトンネルには定期的に警察による捜索が入っているのだろう。とらえられた子供たちは保護施設へ送られる。あの北朝鮮の強制収容所とあまり変わらない待遇が待っているはずだ。

〈逃げるのも無理ないわ〉

「こっちだ」そう言いながら、グレイが倉庫のある方向へと歩き始めた。

トンネルは真っ直ぐではなかったため、途中で二度も地図を確認しなければならなかった。

だが、ようやくグレイが手を振り、姿勢を低くするように合図した。

「あそこに見える次の梯子が倉庫の床に通じているはずだ。敵の不意を突くことができるのは短時間だけ。しかも、倉庫内に見張りが何人いるのかはわからない」

「了解」

グレイが言いたいのは、「素早く行動しろ」ということだ。

セイチャンは暗視ゴーグルを頭に乗せた。グレイも同じ装備を使用している。すでにゴーグルを装着したグレイの顔は、目が飛び出した昆虫のようだ。

セイチャンは先に行くようグレイを促した。ここから先はトンネルの天井が低いため、這って進まなければならない。グレイが前に進み始めたと同時に、セイチャンは何かが足首をつかんだのを感じた。

セイチャンはとっさに体を反転させた。手にはサイレンサー付きの拳銃が握られている。目の前にいたのは九歳か十歳くらいの女の子だった。やや吊り上がった目と広い頬骨は、まるで昔の自分の見ているかのようだ。少女は拳銃を見ると怯えて後ずさりした。

セイチャンは拳銃を下ろし、足首をつかむ少女の指をほどいた。

「何の用なの？」セイチャンはヴェトナム語で訊ねた。モンゴル語はヴェトナム語に似ていると聞いたことがある。

少女はグレイの動きを目で追っていた。グレイが向かった先をじっと見つめている。やがて首を横に振ると、少女はセイチャンのズボンの裾をつかみ、引き戻そうとし始めた。

この先は危険だと警告しているのだ。

ここで暮らす子供たちは、自分とグレイが警察の人間ではないと察知したのだろう。後を追ううちに、見知らぬ二人がどこを目指しているのか気づいたに違いない。子供たちは倉庫の見張りたちと遭遇した経験があったはずだ——優しくしてもらった思い出があるとは考えにくい。だが、警告しようとしているのは自分やグレイの身を案じてのことではない。子供たち自身の心配をしているのだ。これから何が起ころうとも、その余波が地下に住むストリートチルドレンに及ぶであろうことは容易に想像できる。

子供たちが恐れているのも無理はない。

自分たちが立ち去った後、その復讐が地下で暮らす者たちに向けられる可能性は高い。けれども、セイチャンにはどうすることもできなかった。自分一人の力では、厳しく不公平な世界の現実を変えることなどできない。セイチャンはこれまでに何度となく、その事実を思い知らされてきた。

〈ごめんね。できるだけ遠くに逃げて〉

セイチャンはその気持ちを伝えようと試みた。

「ディー」ヴェトナム語で呼びかける。「行け」という意味だ。

再び瞳に恐怖の色がよぎったかと思うと、少女は暗闇に姿を消した。そんな少女に、セイチャンは昔の自分を重ね合わせた。

すでに梯子の下に達していたグレイが、物音を聞きつけて静かにするように合図した。ここでのやり取りには気づいていないようだ。セイチャンはグレイのもとに急いだ。グレイは音を立てずに梯子を上り、その真上にある鍵のかかった格子状の出口に少量の爆薬を仕掛けた。

再び梯子を下りてきたグレイは、セイチャンとともに梯子から離れ、起爆装置のボタンを押した。

爆発音がトンネル内にこだまする。爆竹が破裂した程度の音だったが、倉庫内にいる見張りたちの耳には十分聞こえる大きさだ。

グレイが梯子を駆け上がり、セイチャンもすぐ後を追う。グレイは煙を噴き上げる格子を手のひらで押し開けた。同時に、もう片方の手で二個の発煙筒を出口の左右に一つずつ投げ込む。発煙筒が爆発して煙が噴出するのに合わせて、グレイとセイチャンは倉庫の床に転がり出た。セイチャンはすでに暗視ゴーグルを目に装着していた。コンクリートの床に仰向けになった姿勢のまま、煙を通して見える明るい部分に狙いを定める。

繰り返し引き金を引きながら、そのすべてを倒す。倉庫内は煙と暗闇に包まれた。

グレイは事務室を目指して走っている。遺物が保管されているとしたら、最も可能性の高いのがそこだ。事務室内で発見できなければ、見張りを尋問して口を割らせればいい。

サイレンサー付きの銃のこもった発砲音が、煙で視界の利かない倉庫内を移動するグレイの居場所を示している。セイチャンは煙に隠れて仰向けになったまま、地下への出口を守り続ける。暗視スコープの赤外線機能を作動させると、倉庫の反対側から近づいてくる熱源が検知された。別の見張りたちだ。セイチャンは拳銃の狙いを定めた。

銃声が三発。

次々と見張りが倒れる。

残った見張りたちは物陰に逃げ込みながら、拳銃を乱射している。

煙の陰に隠れていられるのはせいぜいあと数分だ。煙が晴れれば、敵から丸見えになってしまう。

〈ぐずぐずしないでよ、グレイ〉

午後四時四十八分

煙の中を進みながら、グレイは暗視スコープに光が映るたびに発砲した。一階の倉庫で二人を、階段を上りながらもう一人を倒す。事務室は二階にあり、そこから倉庫内を見下ろすことができるような造りになっている。グレイは低い姿勢のまま、階段を一度に二段ずつ駆け上がった。

銃弾が階段の手すりに当たって跳ね返る。

グレイは銃声のした方向に体を反転させ、敵の熱源を確認し、引き金を引いた。

また一人、見張りが倒れる。

階段の上の踊り場に到達すると、グレイは扉の錠の部分を撃ち抜いた。鍵がかかっているかどうかを確かめている時間も惜しい。ここまでは煙が達していないため、動きが敵にわかってしまう。

その危険を証明するかのように、事務室に向かって銃弾が浴びせられた。

グレイは立ち止まることなく扉に向かって走り、肩で体当たりして室内へと転がり込んだ。

倉庫側に面した窓からは距離を取り、仰向けの姿勢のまま蹴って扉を閉める。扉が閉まると同時に、グレイは拳銃を構えて狭い事務室内を見回した。部屋の奥に別の扉がある。その先には会議室と、管理用のスペースと思《おぼ》しき部屋がある。

事務室内に誰もいないことを確認すると、グレイはうずくまった姿勢のまま奥の扉まで移動した。

扉には鍵がかかっている。

〈よし〉

こちら側から不意の攻撃を受ける心配はない。

事務室内には机がある。倉庫側の窓から直接見える位置ではない。グレイは立ち上がって机の上を確認した。いくつもの箱や容器が積み上げられている。その中に毛布にくるまれたひときわ大きな物体がある。ヴィゴーが説明してくれたのとほぼ同じ大きさだ。毛布の下をのぞくと、黒ずんだ銀が見える。

机の上にあるほかの箱も調べたが、それ以外の遺物は見つからない。グレイは机の引き出しの中も確認した。いちばん下の引き出しを開けると、オオカミの仮面がグレイの顔をにらみ返した。

ボルジギンもここにいたということだ。新しい財宝を見ながら悦に入っていたのだろう。

体をかがめて引き出しの中身を確認していた時、グレイは机の下に小型のダッフルバッグが押し込まれていることに気づいた。ジッパーを開けると、中には頭蓋骨と革装の本が入っている。安堵《あんど》のため息をつきながら、グレイはダッフルバッグを肩に掛け、毛布にくるまれた箱を小脇に抱えた。箱は重量があるため持ちにくいが、こうすれば拳銃用に片手を空けておくことができる。

窓から素早く倉庫の方をのぞくと、煙が薄くなり始めていた。

どうやら遺物の捜索に時間をかけすぎてしまったらしい。

グレイはつま先で扉をそっと開けた。二人の男が階段を駆け上がってくる。二人の手には銃身の下にライトを取り付けたサブマシンガンが握られている。階段の下では、薄れゆく煙の中でセイチャンとほかの見張りとの間での銃撃戦が進行中だ。

素早く考えを巡らせながら、グレイは暗視ゴーグルを剝ぎ取った。急いで机に戻ると拳銃を置き、いちばん下の引き出しを開ける。オオカミの仮面をつかんで顔にかぶり、再び拳銃を手にした瞬間、扉が蹴破られた。

グレイが振り返ると同時に、サブマシンガンを肩の高さで構えた二人の見張りが事務室内に飛び込んできた。ライトの光がグレイの顔を照らし出す。だが、オオカミの仮面を目にして見張りがひるんだ。謎のリーダーに対する畏怖《いふ》の念から、二人の動きがほんの一瞬止まる。

その隙をついて、グレイは二人の頭に銃弾を撃ち込んだ。

見張りの体が倒れるより早く、グレイは走り出していた。拳銃を捨て、見張りが手にしていたサブマシンガンを奪い取る。オオカミの仮面をかぶったまま、グレイは事務室から飛び出し、階段の手すりを滑り下りて一階の倉庫へと戻った。煙が晴れつつある倉庫の床に着地すると同時に、銃弾が足もとに当たって跳ね返る。

低い姿勢で走るグレイは、自分の方に向かってくる新たな見張りとぶつかりそうになった。薄い煙の中から現れたオオカミの亡霊に、相手が目を丸くする。グレイは至近距離からサブマシンガンを乱射し、男の体を真っ二つに引き裂いた。

その直後、グレイは見張りと鉢合わせした理由に気づいた。

さっきまで聞こえていた銃撃戦の音がやんでいる。

あの見張りは姿の見えない敵から逃げようとしていたのだ。

セイチャンは別れた時と同じ地点を守っていた。片膝を突いた姿勢で、髪は乱れているが無傷のままだ。グレイが近づくと、セイチャンは体を反転させた。銃口が向けられたものの、引き金にかかる指が動くことはなかった。

グレイはオオカミの仮面を剝ぎ取って投げ捨てた。

セイチャンがにらみつけてくる。「変装はやめた方がいいわよ、グレイ。いつか痛い目に遭うから」

「心配するな。来年のハロウィーンには君に武器を持たせないようにするよ」

午後四時五十二分

セイチャンはグレイに手を貸しながら、毛布にくるまれた箱とダッフルバッグを蒸気暖房用のトンネル内に下ろした。倉庫の中は煙が晴れ、もやがかかった程度にまで視界が戻ってきている。セイチャンは警戒を緩めずにいたが、生き残った見張りたちはどこかに逃げてしまったようだ。

周囲を見回したセイチャンは、倉庫内にいくつもの箱が保管されていることに気づいた。衣類、電化製品、自動車用品のほか、粉ミルクの缶まである。どうやらバトゥハンは数多くの事業に手を出しているらしい。多くの市民が飢えに苦しんでいるというのに、食料品も大量にため込んでいる。

セイチャンはグレイの後を追い、悪臭と高温が支配する地下トンネルに戻った。

グレイが箱を抱えてトンネル内を這い、セイチャンはダッフルバッグを肩に掛けて進む。トンネルの分岐点に達したセイチャンは、別のトンネルから見覚えのある顔がこちらを見ていることに気づいた。立ち止まって頭から暗視ゴーグルを外し、少女に手渡す。光の届かないこの地下世界で少女が生き延びるためには、暗視ゴーグルが役に立つはずだ。だが、そこにいたのは一人だけではなかった。

少女の肩越しにいくつもの影が動いている。ほかに何人もの、おそらく数百人もの子供たちが、このトンネルで暮らしているのだ。

セイチャンは下りてきたばかりの梯子を指差した。今なら梯子の上の品物を見張る人間はいない。

「ディー！　ハイ！　ノー・ラー・アン・トアン！」セイチャンは子供たちに伝えた。「行きなさい！　取ってくるのよ！　安全だから！」

自分にできるのはここまでだ。セイチャンはグレイの後を追った。

世界を変えることはできないかもしれないが、たとえ短い間だけだとしても、この小さな世界を少しだけ住みやすくすることならできる。

21

十一月十九日　ウランバートル時間午後五時
モンゴル　ヘンティー山脈

山道を登るジェイダたちは、暗がりから明るい光の中に出た。

日没まであと一時間を切っているため、一行は森に覆われた山腹を速いペースで登り続けていた。山頂付近では雪と氷が夕暮れの太陽の光を反射し、燃えるような色に輝いている。それとは対照的に、通り抜けたばかりのシラカバとマツの森は、標高の低い地点から忍び寄る夜が間近に迫り、深い影に包まれている。

その暗闇の方角から、オオカミの遠吠えが聞こえた。それに続く甲高い鳴き声も、夜の訪れを歓迎しているかのようだ。「ウルフファング」の名前の由来は、その形状だけでなく、山腹に生息する動物にもあるらしい。

森のさらに先には、さっき横切ったばかりの草地が広がっている。自分の目を疑うほど遠くに見える。

〈こんなに高くまで登ってきたなんて信じられない〉

その時、ジェイダは下の方で何かが動いたような気がした。真っ暗な森と草地との境目のあたりだ。けれども、改めて目を凝らすと、すでに動きは消えていた。

〈影のいたずらかしら……〉

ダンカンはすぐ下の森の中から聞こえる野生の鳴き声にまだ耳を傾けていた。「あれはオオカミだな。人を襲うことはあるのか？」

「こっちからちょっかいを出さなければ大丈夫です」サンジャルが答えた。「これだけの人数に向かってくることはまずありません。でも、冬の訪れが近いので、おなかをすかせている頃かもしれませんが」

ダンカンはその答えが気に入らなかった様子だ。「そういうことなら、これ以上暗くなる前にもっと先へ進もうぜ」

「どうしてですか？」サンジャルはすぐ先を指差した。「もう着きましたよ」

ジェイダは鞍《くら》に座ったまま前に向き直り、前方に注意を戻した。夜の海に包まれた中にぽっかりと浮かぶ島のように、日没間近の太陽の光が当たっている。目の前には広い平地が広がっていた。山腹を踏みつけた巨人の足跡のようだ。四十メートルほど先にある斜面には雪が積もっている。けれども、湖は見当たらない。

「どこなんだ？」ダンカンが訊ねた。

「西側の岩場を回り込んだところです」そう説明しながら、サンジャルはその方角に馬を進めた。ジェイダたちもその後ろからついていく。

一行は古い落石箇所を迂回《うかい》して進んだ。いくつもの大きな岩と切り立った崖との間の狭い通路を通り抜ける。ジェイダは不安定に積み重なった岩の山を観察した。まるで落石の途中で時が止まってしまったかのようで、今にも再び崩れそうに見えるが、おそらく何百年も前からこのままの状態にあるのだろう。

落石箇所の先には、さらに広い平地が存在していた。左側は急峻な断崖絶壁で、右側には雪に覆われた斜面がそびえている。その間に広がる平地の大部分を、八千平方メートルほどの面積のある湖が占めていた。夜の帳《とばり》が下りつつある空と同じ藍色の湖面には、いくつかの白い雲が映っている。湖岸が氷河の先端に接していることから推測するに、この湖には雪融け水が流れ込んでいて、春になると反対側の断崖からあふれた水が滝となって流れ落ちているのだろう。

モンクがジェイダの隣に並んだ。「何かがここに墜落したにしては、それらしい気配が見られないな」

モンクの言う通りだ。きれいで穏やかな湖面が広がっている。

ハイドゥが一人で湖岸まで馬を進めた。身軽に鞍から降り、汗をかいた馬を水辺へと導く。馬は渇きを癒そうとして鼻先を湖水に突っ込んだものの、すぐに頭を大きく後ろに振り、数歩後ずさりした。ハイドゥは手綱《たづな》をしっかりと握り、牝馬《ひんば》を落ち着かせた。そのまま後ろに下がれば、崖から真っ逆さまに転落してしまう。

眉間《みけん》に深いしわを寄せながら、サンジャルは馬から飛び降り、自分の馬の手綱をハイドゥに渡した。湖岸に歩み寄り、手を水に浸す。振り返ったサンジャルは、目を大きく見開いていた。

「温かい……」

ジェイダは火の玉がここに落下するのを目撃した人の話を思い出した。湖の水が沸騰していたという。見たところ、今はそれほど水温が高くはないようだ。過熱した金属が湖の底でゆっくりと冷えつつあるに違いない。ただし、湖の水はまだ元の温度に戻っていないのだろう。

「ここにあるんだ」ダンカンも同じ結論に達したようだ。

「でも、どうやって確認したらいいの？」ジェイダは訊ねた。

モンクが自分の馬から飛び降り、馬から降りようとするジェイダに手を差し出した。「誰かが湖に潜って調べることになりそうだな」

午後五時十二分

ダンカンはボクサーパンツ一枚で湖岸に立っていた。山頂から吹き下ろす氷のように冷たい風に体が震える。アメリカ南部の育ちのため、寒い気候はあまり得意ではない。

ダンカンの家族は毎年のようにジョージア、ノースカロライナ、ミシシッピ、フロリダといった南部諸州を転々としていた。父はまるでヘビが脱皮をするかのように転職を繰り返していたため、二人の息子にかまっている余裕がなかった。ダンカンと弟が深い絆で結ばれていたのはそのためだ。離婚した母とは音信不通になっていたので、ビリーの死後はダンカンと父を家族としてつなぎ止めるものは何一つ残っていなかった。そのまま父とは疎遠になった。何年も連絡を取っていないため、ダンカンは父が今どこに住んでいるのかすら知らない。

「早くしてくれないか？」ダンカンは促した。寒い中、裸のままいつまでも過去の記憶に浸っていたくない。

ジェイダはラップトップ・コンピューターの前にひざまずいている。「もう少しで接続の設定が終わるから」

ボクサーパンツのほかにダンカンが身に着けているのはヘッドバンドだけだ。ヘッドバンドには防水カメラ、無線、ＬＥＤライトが装着されている。ヘッドバンドから垂れ下がるアンテナ線は浮きにつながれていて、カメラの映像を無線でラップトップ・コンピューターに送信することができる。

「私の声が聞こえる？」ジェイダが訊ねた。

ダンカンは無線のイヤホンを調節した。「はっきり聞こえるよ」

例の衛星に関してはジェイダが誰よりも詳しい。彼女が湖岸からダンカンの動きを監視し、回収作戦のための指示を無線で伝える手筈《てはず》になっている。

「それなら、すべて準備オーケーだわ」ジェイダが宣言した。

モンクがダンカンの隣に歩み寄った。「あんまり無理はするなよ」

「今さらそんなことを言われても」

ダンカンは浅瀬に足を踏み入れた。湖水は温かい。ちょうどいいくらいの水温だ。しばらく進んでから、ダンカンは湖の中央に向かって泳ぎ始めた。冷たい風にさらされていた後なので、温かい水が何とも心地いい。中米のベリーズでダイビングをした経験があるが、あのあたりの海は風呂につかっているかのような水温だった。だが、ここはそれよりも温かい。

ダンカンは手で大きく水をかき、足で力強く蹴りながら湖面を進んだ。これほどの広さの湖だと、格子状に範囲を区切って一つずつ調べていたら何時間かけても終わらない。捜索範囲を絞り込むためには、この水温が頼りになる。

温かいところから、もっと温かいところへ向かえばいい。

墜落した衛星がこの水中にあるのならば、その周辺の水温が最も高くなっているはずだ。そのため、ダンカンは水温が下がると方向を変え、高いところがあると深く潜り、ごつごつとした岩の多い湖底にライトの光を当てた。だが、丸々と太ったマス、誰かが落としたらしい靴の片方、水に揺れる苔《こけ》などが見えるだけだ。

ひときわ温度が高い地点に到達すると、ダンカンは大きく息を吸い込んでから水中に潜った。両足で水を蹴りながら湖底を目指す。三メートルほど潜り、水圧で耳がつんとなり始めた頃、ダンカンは底のあたりに光を発見した。何かがライトの光を反射している。

「もっと左に寄って」指示を与えるジェイダの声は興奮を隠し切れない様子だ。

その指示に従い、ダンカンはさらに強く足で蹴って左に向きを変えた。水中を照らすライトの光が、湖底に向かって真っ直ぐに伸びる。

光が照らし出したのは、湖底の岩にできたクレーターの中央にある物体。その周囲を融けた金属と焦げた残骸が環状に取り巻いている。

かつて「神の目」と呼ばれた衛星が、無残な姿をさらしていた。

午後五時三十四分

ジェイダは泣きたい気分だった。

「何も残っていないわ」誰ともなしにつぶやく。

受信状態はあまりよくなく、ダンカンが深く潜るにつれてさらに悪くなっているが、回収できそうなものが残っていないことは一目でわかる。あの衛星はホットドッグの屋台くらいの大きさをしていた。理論と工学技術とデザインの粋を集めた美しい作品だった。

ジェイダはラップトップ・コンピューターの画面に表示された不鮮明な映像をじっと見つめた。

そこにあるのは小型冷蔵庫ほどの大きさの、黒く変色した残骸だけだ。再突入時の高温と、衝突時の衝撃、さらに水による損傷を経て、焦げた塊だけしか残っていない。それでも、いくつかの部品は確認できた——焼け焦げた水平センサー、融けてケースと一体化してしまった太陽電池、ばらばらになった磁力計。だが、重要な電子機器やデータを回収できる可能性はゼロに等しい。

その事実を認めなければならない——ダンカンに対しても、伝えなければならない。

息継ぎのためにダンカンが浮上した。水面から飛び出した筋肉質の体を水が流れ落ち、髪の毛はぴったりと頭に貼り付いている。

しかし、ダンカンも真実を悟っていた。

その表情からは敗北感がにじんでいる。

ジェイダは自分も同じような顔をしているに違いないと思った。

〈何度も危機を切り抜けて、せっかくここまで来たのに……〉

ジェイダは首を横に振った。あの残骸から答えを得られる可能性がないということは、間近に迫った災厄への解決策も得られないということになる。

ダンカンが親指を下に向けた。「この真下の五メートルくらいの深さにある。運び上げることができるかどうか、試してみるよ。何回かに分けないといけないかもしれないけれど」

敗北感を抑えつけようと思ったら、何か作業をせずにはいられないのだろう。

「シグマの司令部に連絡を入れた方がよさそうだ」そう言いながら、モンクは衛星電話を取り出し、よくない知らせを伝える通話が聞こえないようにジェイダたちから離れた。

少し離れて断崖の近くから作業を見守るサンジャルとハイドゥも、状況が思わしくないことを察した様子だ。

画面には再び水中に潜るダンカンからの映像が表示されている。相変わらず力強く足で蹴っているらしく、すぐに衛星のところまで到達する。ダンカンの手がためらいがちに衛星の残骸へと伸びる。まだ熱を持っているかもしれないと慎重になっているのだろう。だが、ダンカンの指先が残骸に触れた瞬間、画面は真っ暗になった。

ジェイダは顔を上げて湖の方を見た。アンテナ線のつながれた浮きは湖面に揺れたままで、特に異常は見られない。それなのに、水中からの映像が受信できないのはおかしい。

「ダンカン？」ジェイダは無線で呼びかけた。「聞こえる？　接続が切れてしまったみたいなんだけど」

返答のないまま三十秒が経過し、水中に潜るダンカンが立てた波も治まってしまった。ジェイダの不安は募る一方だ。

ジェイダはモンクの方に体をひねりながら立ち上がった。

「様子がおかしいわ」

午後五時三十八分

残骸に触れた瞬間、ダンカンの指先にうずくような感覚が走った。かなり水圧のある深さなのに、何かが指先を押し返しているかのように感じる。例のぬるぬるとした黒い感覚は、遺物から発していたエネルギーと同じだ。それに気づいたダンカンは、周囲の水温が急に下がったかのような気がした。

古代の十字架が何らかの形で彗星と物理的に関連しているという説に対する疑念は、これで完全に一掃された。十字架と彗星はまったく同じ不思議なエネルギーを持っている。

〈ダークエネルギーだ……〉

すぐにでも浮上してジェイダにその事実を伝えたいが、その前に衛星の残骸を回収しなければいけない。ダンカンは残骸をしっかりとつかみ、持ち上げようとした。だが、びくともしない。下の岩にくっついてしまっているようだ。再突入の際の高熱を帯びたままだった金属製の外殻が湖水で冷やされていく過程で、衝突した岩盤と一体化してしまったに違いない。

どうすることもできずに残骸の表面に手のひらをかざしていたダンカンは、エネルギー場に勾配があることに気づいた。片側の方がもう片方の側に比べて押し返す力が強い。指先で探ると、残骸の表面に亀裂が入っている。衝突時の衝撃で鋼鉄製のプレートの端が曲がってめくれてしまったらしい。

〈ここをこじ開けられるかもしれない〉

指を使って試してみたが、水中に浮かんだ体勢では力が入らない。このままでは埒《らち》が明かないし、息も苦しくなってきた。ダンカンは湖底を足で蹴って浮上した。

水面から顔を出して大きく息を吸い込んだダンカンは、モンクが服を着たままあわてた様子で湖に入ろうとしていることに気づいた。

「どうかしたんですか?」ダンカンは立ち泳ぎをしながら岸に向かって声をかけた。

モンクの後ろに立つジェイダが、喉元に当てていた手を下ろした。「何かトラブルが発生したんじゃないかと心配していたのよ! 突然映像が途切れたし、いつまでたっても戻ってこないから――」

「大丈夫だ!」ダンカンは岸を目指して泳いだ。「ただ、道具が必要になった!」

浅い地点まで泳ぎ着いたダンカンは湖から上がろうとしたが、冷たい風が吹きつけた瞬間にその意欲を失い、温かい水中に戻った。

「小さなバールを渡してくれないか」ダンカンは伝えた。「衛星のかたい外殻をこじ開けて、内部を調べてみたいんだ」

すでに膝まで水につかっていたモンクがジェイダから工具を受け取り、ダンカンに手渡した。

「でも、どうして？」ジェイダが訊ねた。「重要なものは残っていないと思うけど」

「残骸から電磁エネルギーを感じるんだ。しかも、かなり強い」

ジェイダが顔をしかめた。信じられないと言いたげな表情を浮かべている。「そんなの、ありえないわ」

「俺の指先は嘘をつかない。しかも、これと同じ性質のエネルギー場を感じたことがある」

ダンカンはジェイダの目を見つめたまま、片方の眉を吊り上げた。

「遺物と同じなの？」ジェイダが目を見開いた。「頭蓋骨と本と……？」

「間違いなく同じだ」

ジェイダが一歩前に足を生み出した。今にも湖に飛び込みそうだ。「残骸を岸に引き上げることはできそう？」

「全部は無理だ。外殻の大部分は融けて岩と一体化してしまっている。でも、こじ開ければ中に残っているものを取り出せるんじゃないかと思う」

「何とかして」ジェイダが訴えた。

ダンカンはバールで敬礼を返してから水中に潜った。

午後五時四十二分

太陽はすでに地平線の下に没したが、西の空はまだ赤く輝いている。ジェイダはラップトップ・コンピューターの前にしゃがんでいた。ダンカンが浮上した後、なぜか映像は復活している。ジェイダは残骸を目指して潜るダンカンから送られてくる映像に目を凝らした。

「ダンカン、聞こえる？」ジェイダは接続を試すために問いかけた。

ダンカンの親指が上を向く。

だが、深く潜るにつれて画面上の映像が不鮮明になり、ドットが欠けたり映像が途切れたりし始めた。

〈残骸のせいかしら？〉

用心を促すために、ジェイダはダンカンに呼びかけた。「残骸からのエネルギー場が映像に干渉しているみたいなの」

すぐ隣ではモンクが濡れた服のまま震えていた。「残骸に手を触れないように伝えてくれ。接地されていない彼の体内をエネルギーが伝わり、装置に一時的な不具合を生じさせた可能性がある」

おそらくそうだろう。

「ダンカン、少し離れてあなたが発見したものを見せてもらえる？　エネルギーがいちばん強いと感じる箇所を、バールでこじ開けようとしている箇所を見てみたいの。重要かもしれないものに損傷を与えたくないから」

ジェイダの言葉に合わせて、ダンカンが墜落した衛星の片側に移動し、バールの先端で一点を指し示した。

「そっちは電子モジュールがある側みたいね」ジェイダは無線で伝えた。「バールで示した先にあるのは放熱用のハッチだわ。そこを開けることができれば、その先はこっちから指示を出すことができるんだけど」

ダンカンはバールの先端をハッチの隙間に挿し込んだ。

「気をつけて……」

鋼鉄製のバールを支点にして、ダンカンは残骸の両側の岩に左右の足を置いて踏ん張り、バールを押し下げた。ダンカンが力を入れても放熱用のハッチは数秒間動かなかったが、さらに力を込めると残骸から外れ、水中を回転しながら消えていった。

ダンカンは泳ぎながら位置を変え、墜落した衛星の内部にカメラを向けた。

ジェイダの心は再び敗北感に包まれた。電子機器はすべて黒く焦げており、融けた塊がプラスチックやシリコンや光ファイバーの束とくっついてしまっている。

画面上のダンカンの手が衛星の内部に伸びた。残骸に触れないよう慎重な動きだ。指先が正方形の物体に向けられている。箱状の鋼鉄製の物体で、片側には蝶番がある。ほかの機器に囲まれた中にあったため、見たところ損傷はなさそうだ。ダンカンは繰り返しその物体を指差している。何かを伝えようとしているらしい。

「あそこから最も強いエネルギーが出ているという意味だろう」肩越しに画面をのぞき込みながらモンクが口にした。ジェイダも同じ考えだった。

「ダンカン、それはジャイロスコープが収容されているケースよ。なるべく壊さないように注意して。太いケーブルが一本つながっているだけだったはず。そのケーブルをねじって外せれば、ケースごと持ち上げられるわ」

ダンカンは再び親指を上に向けてから、バールを衛星の脇に置いた。ケースを取り外すためには両手が必要になる。

ダンカンの指先がケースに触れると、またしても映像が途切れた。

ジェイダはモンクと顔を見合わせた――二人同時に湖面へと視線を移す。ダークエネルギーに関するジェイダの理論が正しければ、ダンカンは宇宙の動力源となる炎を引き抜こうとしていることになる。

〈気をつけて……〉

午後五時四十四分

肺の中の空気が残り少なくなる中、ダンカンは衛星の残骸と不快感の二つを相手に格闘していた。〈この野郎、いい加減に――〉

口汚く罵ることなどめったにないダンカンだったが、ジャイロスコープの収められたケースを包むように融けて固まった残骸と、エネルギー場から発する不快な感触を相手にしていると、ついつい大声をあげたくなる。電流の流れるジェルに浸した指で、ピクルスの瓶のふたを開けようとしているかのような気分だ。

衛星の片側にあるハッチを開けるや否や、電磁場が一気に強まり、焦げた衛星の内部にあるこの鋼鉄の心臓から蒸気が噴き上げるかのようにダンカンに襲いかかった。ジャイロスコープのケースに触れた時は、泥の中に手を突っ込んだかと錯覚するほどだった。エネルギー場がダンカンの指に激しく抵抗している。少なくとも、磁力によるダンカンの第六感はそう認識した。

指先でしっかりとケースをつかんだ時の感触は、何とも形容しがたいものだった。電気技師としての訓練を積んでいた時、うっかり電線に触れてしまった経験がある。だが、この感覚は電線に触れた時の刺激とは違う。電気ウナギに触れたらこんな感じなのかもしれない。ここから放出されているエネルギーは、あたかも生き物から発しているかのようだ。

ダンカンの全身に寒気が走った。

半ば融けかかったケーブルに力を込めて一ひねりすると、ようやく残骸からケースが自由になる。衛星の心臓を摘出したかのような気分でケースを持ち上げると、ダンカンは湖底を蹴って水面に向かった。一刻も早くこのケースを手放したい。

水面から顔を出して大きく息を吸い込んでから、ダンカンは岸を目指した。ジャイロスコープのケースは手のひらに乗せて運んでいる。これがバスケットのボールだったら、味方のプレーヤーにさっさとパスしてしまいたいところだ。

午後五時四十七分

ジェイダは片手に毛布を持ちながら湖岸でダンカンを待っていた。岸に近づいたダンカンが泳ぐのをやめて立ち上がった。体中から水が滴り落ちる。肩から両腕にかけての刺青が、冷え切った皮膚に鮮やかな色を添えている。

ダンカンがライトを消すと、その姿が影に包まれて見えなくなる。ラップトップ・コンピューターの画面の映像に集中していたため、ジェイダは周囲がこんなに暗くなっていたことに気づいていなかった。標高の高い地点では、暗くなり始めると夜が駆け足で訪れる。

ジェイダは岸に上がったダンカンに毛布を手渡し、彼が苦労して手に入れた鋼鉄の戦利品を受け取った。

「どうしてこいつがそんなにも重要なんだい？」ダンカンが歯をガチガチと鳴らしながら訊ねた。

「教えてあげるわ」

ジェイダは即席の机に移動した。机とは名ばかりで、ラップトップ・コンピューターを置くための表面が平らな岩にすぎない。ジェイダはコンピューターの隣にケースを置いた。

「これが遺物と同じ電磁エネルギーを発しているのなら、彗星のダークエネルギーのコロナと関連があることは間違いないわ。これを研究室に持ち帰ってきちんと調べれば、真相をつかむことができるかもしれない」

ジェイダはモンクの顔をうかがった。

「任せてくれ」モンクが答えた。「キャットに頼めばアメリカまで最短時間で帰れるルートを手配してくれる」

モンクが衛星電話を取り出すのを見ながら、ジェイダは説明した。「アジアのここまで来ているのだから、ロサンゼルスの宇宙ミサイルシステムセンターにある私の研究室の方が早く到着できると思います。そこなら徹底的な分析を行なうために必要なものはすべて揃っていますし、私の研究をよく知る技術者や技師もいます。私たちが直面している問題への解決策があるのなら、それを発見できる可能性がいちばん高いのはそこだと思います」

モンクがジェイダの案に同意しかねるかのように顔をしかめた。だが、モンクが困惑している原因は別にあった。衛星電話だ。「おかしいな、電波が入らない……」

「これが発するエネルギーのせいかもしれないわ」ジェイダははっと気づいた。近くの岩が崩れたあたりを指差す。「少し離れたところからかけるといいかもしれません。飛行機で移動するなら、このエネルギーが機器に影響を与えないようにするための方法を考えないと」

体をふいて着替えも終えたダンカンが近づいてきた。「そいつを取り外した後で残骸に手をかざしてみた。衛星からエネルギーの痕跡は感じられなかった。エネルギーはすべてそのケース内から放出されていたみたいだな」

「納得がいくわ」

「なぜだい？」

「これこそが『神の目』の心臓部分で、その名前の由来になったものでもあるからよ」

ジェイダはケースに注意を戻した。側面を指で探り、小さな掛け金を外す。ジェイダは慎重にケースを開けた。蝶番の付いたふたを持ち上げると中身があらわになる。

ダンカンが顔を近づけた。

ケースの中では、ラップトップ・コンピューターの画面の明かりを浴びて、ソフトボールほどの大きさをした球体の水晶が輝いていた。見ただけではわからないが、この水晶は完全な球体をしている。

「これが衛星の中心で回転していたジャイロスコープよ」ジェイダは説明した。「実験の際にはこれを使用して地球周辺の時空の曲率を測定していたの」

「でも、どうして今はこれがエネルギーをため込んでいるんだ？」

「繰り返してテストをしないことには断言できないけれど、仮説ならあるわ。宇宙空間で回転しながら時空の曲率を測定していた時、水晶はそこに発生したしわを観測していたの。そのしわの発生源のダークエネルギーがしわに沿って移動し、唯一の観測者の目に流れ込んだんじゃないかしら」

「それが球体の水晶だったのか」

「その結果、本当の意味での『神の目』となったのよ」

「でも、そのことが謎の解明の役に立つのかい？」

「何とかしてそれを――」

突然、甲高い口笛に似た音が響いた。それに続いて、何かがやわらかいものに刺さるような音も聞こえる。

断崖に背を向けて立っていたハイドゥが、膝から地面に崩れ落ちた。

両手で腹部を押さえている。

指の間からは鋼鉄製の矢じりが飛び出していた。

22

十一月十九日　ウランバートル時間午後五時五十五分
モンゴル　ウランバートル

ヴィゴーはホテルのスイートルームにある会議用テーブルのまわりを落ち着きなく歩いていた。心臓の鼓動は心なしか力なく、目にも疲労がたまっている。この一時間ほど、ヴィゴーの心はグレイが遺物を取り戻してくれたという喜びと、八百年前の謎を解明できない挫折感との間を行き来していた。

全員の注目の的は、テーブルの中央に置かれている——人間の骨と皮膚でできた不気味な帆船だ。

ヴィゴーはこの一時間ずっと拡大鏡を手に、アラル海から回収された遺物の観察を続けていた。その隣にある黒ずんだ銀の箱からは、まだ塩のにおいがする。そのにおいを意識するたびに、今は亡き友人の面影が浮かぶ。

ヨシプはこの遺物を発見するためにすべてをなげうった。

だが、その結果は？

一時間にわたって調べたものの、ヴィゴーははっきりした結論を何一つ得ることができずにいた。断言できるのは、この模型を作った職人が優れた技量の持ち主だという点だけだ。船体に使用された肋骨は、彫りやすくなるように長時間煮込んで漂白してあった。船体には複雑な波の模様が描かれているほか、様々な種類の魚や鳥も彫られている。水中を楽しそうに泳いだり水面から飛び跳ねたりしているアザラシの姿もある。撚《よ》った人間の髪の毛で索具を取り付けてある帆の形は、チンギス・ハンと同時代に当たる宋王朝のジャンクの伝統的な様式にならっている。

しかし、これらにはどんな意味があるのだろうか？　この手がかりは我々をどこに導いてくれるのだろうか？　その謎を解明するために、ヴィゴーはテーブルの上でラップトップ・コンピューターを開き、手がかりを提供してくれそうなありとあらゆる情報を調べ続けていた。だが、いくら調べても、その先にあるのは袋小路ばかりだった。

テーブルのまわりに座る全員が、この謎の解明をヴィゴーに託していた。けれども、これは自分の手には負えないかもしれない。ヴィゴーは何度となく、ヨシプがここにいてくれたならと思った。今こそ友人の半ば狂気に近い才能が必要とされている時なのに。

セイチャンの隣に座るグレイが口を開いた。「中国の船なのだから、中国国内のどこかを示しているに違いありませんよ」

「そうとは限らない。チンギスは自らが征服した国の科学や技術に対して大いに敬意を表していた。中国の火薬や羅針盤やそろばんなど、新たな発見はすべて吸収し、取り入れていたのだ。船を製造する技術を高く買っていたであろうことは想像に難くない」

「でも、これは漁船ですよね」グレイは船体に彫られた細かな彫刻を指差した。「隠し場所が太平洋や黄海の沿岸だと示しているのではありませんか？」

「私もそう思う。それに太平洋や黄海の沿岸はチンギスの帝国の最東端に当たる」

ヴィゴーの脳裏に再びヨシプの言葉がよみがえった。

〈チンギスは息子に対して、自分が知る世界のすべてを自らの墓とするように指示したのではないだろうか？　自らの魂が、モンゴル帝国の一方の端からもう一方の端まで行き来できるようにするために〉

ヨシプの言う通りだ。チンギスの頭部はハンガリーに埋葬されていた。そこは彼の息子の帝国の最西端に当たる場所だ。一方、骨でできた船は、チンギス自身が征服した領地の最西端であるアラル海に隠されていた。そういうことならば、次の場所が東の端なのではないかという考えはうなずける。

だが、一つ大きな問題がある。ヴィゴーはそのことを口にした。

「その通りだとしても、東端の海岸線はほぼ千五百キロもの長さに及んでいる。いったいどこから手をつければいいのかね？」

テーブルの向かい側に座るレイチェルが体を動かした。「ちょっと休憩したら？　頭をすっきりさせてから、もう一度考えればいいじゃない」

「そんな暇はない」強い口調で言い返してすぐに、ヴィゴーはレイチェルに対して声を荒らげてしまった自分を責めた。テーブルのまわりを歩き続けながらレイチェルの後ろを通った時、すまなかったという気持ちを込めてそっと肩に手を乗せる。

何かが気になって仕方がないために、ヴィゴーはじっと座っていられなかった。その一方で、足を踏み出すたびに腹部に痛みが走るせいで、冷静に考えることができない。

〈レイチェルの言う通りかもしれない。少し休めばいい考えが浮かぶことだろう〉

グレイが顔をしかめながら、これまでに判明していることをまとめようとした。「ハンガリーにはチンギスの頭部が埋められていた。この船は肋骨と椎骨でできているから、チンギスの胸を表しているのだろう」

「むしろ心臓を表しているのではないかな」そう訂正した途端、ヴィゴーの頭の中のもやもやがいっそう強まる。

「頭と心臓ねえ」テーブルの隣のソファーで仰向けに寝転がり、腕で目を覆ったままコワルスキがつぶやいた。「だったら、次は足を見つければいいんじゃないのか？」

ヴィゴーは肩をすくめた。あながち間違いとは言い切れない。

〈頭、心臓、足〉

再びヨシプの言葉が頭の中をよぎる。

〈自らの魂が、モンゴル帝国の一方の端からもう一方の端まで行き来できるようにするために〉


ヴィゴーは思わず足を止めた。あまりに急な動きに、椅子の背もたれに手を添えて体を支えなければならなかったほどだ。どうして今まで気づかなかったのだろうか？　注意を払わなければいけないのは、ヨシプの言葉ではなかったのだ。

「やっぱり君は頭の作りが違ったのだな」ヴィゴーはつぶやいた。「それに引き換え、私は何と愚かだったことか」


自らの死を目前にしたヨシプの顔が、悔いに満ちていたのも当然だ。彼は調査の旅路を終えられなかったことを悔やんでいたのではない――もちろん、その思いがなかったとは言わない。しかし、ヨシプにとって何よりも心残りだったのは、ヴィゴーが理解していないと悟ったことだったのだ。

「彼にはすべてわかっていたのだ！」ヴィゴーは大声をあげた。

「何の話なの？」レイチェルが訊ねた。「タラスコ神父のこと？」


ヴィゴーは自分の胸に手のひらを当てた。心臓の鼓動が伝わる。あの時ヨシプもこの手を取り、血に染まった自らの胸へと導いた――だが、単に別れを告げるためではない。瀕死の状態でできる唯一の方法で伝えるためだ。死ぬ前に手がかりを提供しようとしてくれていたのだ。

「頭、心臓、足」ヴィゴーは自分の胸を手のひらで叩きながら、「心臓」という言葉を強調した。「我々はずっと間違った見方をしていたのだ」

レイチェルが姿勢を正した。「どういうこと？」

「頭はチンギスの息子の帝国の境界線を示している。つまり、チンギスの死後のモンゴル帝国の未来だ。心臓はチンギスが存命中のモンゴル帝国の象徴で、彼にとっての現在だ。我々が次に探さなければならないのは、チンギスが自らの足でしっかりと大地を踏みしめ、名声を確立したところ——彼の過去を象徴する場所だ」

「頭、心臓、足」グレイが繰り返した。「未来、現在、過去」

ヴィゴーはうなずきながらラップトップ・コンピューターの前の椅子に座った。「チンギスは自分の遺体をモンゴル帝国の地理的に見た全域にばらまくよう、息子に指示を与えたのではない。帝国の過去から未来へとたどれるようにしたかったのだ」

レイチェルが手を伸ばしてヴィゴーの腕を握り締めた。「解明できたのね」

「そう断言するのはまだ早計だ」ヴィゴーはコンピューターのキーボードを叩いた。「まったく、自分の愚かさにあきれてしまうよ。ヨシプは息を引き取る前にこのことを伝えてくれていたのだから。しかも、まだこの情報がわかっただけで、調査を続けるためにどこへ向かうべきかは、これから解明しなければならない」

「きっとできるわ」

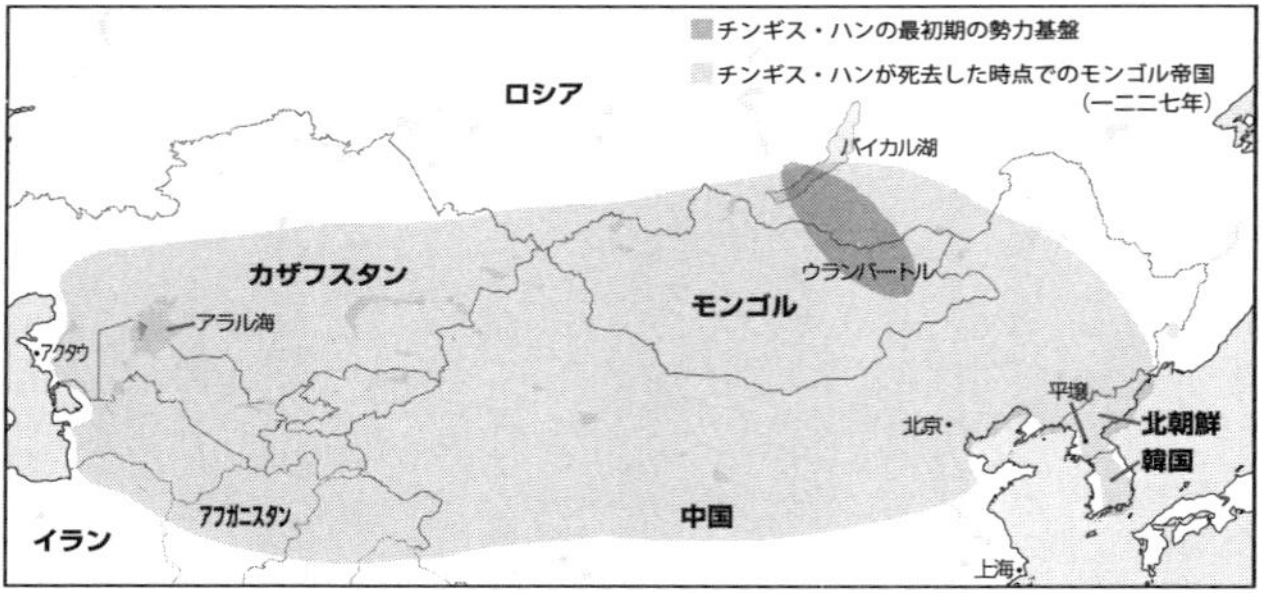

ヴィゴーはチンギス・ハンの統治下にあったモンゴル帝国の勢力範囲を示す地図を呼び出した。

「この地図はチンギスの時代のモンゴル帝国の規模を表している」ヴィゴーは説明した。「朝鮮半島からカスピ海にまで広がっているのがわかるだろう。だが、モンゴル北部の色の濃い楕円《だえん》形の地域は、偉大なるハンの最初期の勢力基盤を示している」

ヴィゴーは画面上の該当部分に指先で触れた。

グレイが肩越しに画面をのぞき込んだ。「それでもまだかなりの広範囲にわたっていますね」

「それに、周囲を陸地で囲まれている」ヴィゴーは付け加えた。「この地図からわかるように、チンギスの当初の勢力範囲は黄海や太平洋にまで及んでいないのだよ」

全員が船に視線を移した。ヴィゴーだけは一心に画面を見つめながら、その地域に関する情報を記したほかのファイルを呼び出した。

「それなら、なぜ船を手がかりとして残したんでしょうか？」グレイが遺物を顎でしゃくりながら訊ねた。

ヴィゴーは画面上の地図を拡大し、色の濃い楕円形の北の端にある水域を指差した。「これがあるからだよ」ヴィゴーは説明した。「バイカル湖だ」

「この湖が重要だと考える理由は何ですか？」グレイが顔をしかめて三日月形をした湖を見つめながら訊ねた。「この湖に関して、何か知っているのですか？」

「目の前にある情報だけだ」ヴィゴーはファイルの内容を要約しながら読み上げた。「バイカル湖は世界最古かつ世界最深の湖だ。全世界の淡水の二十パーセント以上を占めている。古代モンゴル人にとって、この湖は水産資源の宝庫だった……現在でも漁業が盛んだ」

グレイは船の模様に顔を近づけた。「そういうことなら、船体に魚が彫られているのはうなずけます。でも、飛び跳ねるように泳いでいるこの――」

「アザラシのことかね？」ヴィゴーは勝利の笑みを浮かべながら訊ねた。椅子の背もたれに体を預け、画面上に表示された写真を見せる。そこには岩の上で休む黒っぽい色をした動物の姿が写っていた。「この写真の動物はバイカルアザラシだ。世界で唯一の淡水に生息するアザラシで――」

「当ててみせましょう」今度はグレイがヴィゴーの言葉を遮った。「バイカル湖だけにしか生息していないのですね」

ヴィゴーは笑みが大きくなるのを抑えられなかった。

その時、グレイの衛星電話が呼び出し音を発した。グレイの視線が電話の画面に向けられる。

「シグマの司令部からだ」電話を取るためにテーブルから離れながら、グレイはヴィゴーに指示した。「その湖について、できるだけ多くの情報を集めておいてください」

「もう始めているよ」

ヴィゴーは調査の手を止め、顔を上に向けた。

〈ありがとう、我が友よ〉

午後六時十八分

「その後モンクからの連絡は何もないんだな？」電話の向こうからペインターが訊ねた。

「まったくありません」グレイは通話の内容を聞かれないように寝室へと移動していた。バイカル湖に関するヴィゴーの調査の邪魔にならないようにとの配慮もある。

「十分ほど前から彼と連絡を取ろうと試みているところだ」ペインターは説明した。「だが、電話に出ない。彼のチームからは、馬に乗って山間部へ向かうという報告を最後に、連絡が途絶えてしまっている」

「こちらはだいぶ暗くなってきています」グレイは応答した。「キャンプの設営で手が離せないのではないでしょうか?」

ペインターはいらだちを隠そうともせずにため息をついた。「彼らが休んでしまう前に、ドクター・ショウの意見を聞きたかったんだが」

「なぜです?」

「ロサンゼルスのSMCのチームから最終的な分析結果を受け取ったところだ。ジェイダが最初に気づいた彗星の軌道における重力の異常に関して、監視を続けている物理学者の話は君にも伝えたと思うが」

「ええ。変化が見られるという話でしたが」

「増大しているのだ。彗星が地球に向かって接近するのに比例して、小さな歪みが徐々に増大していると確認された」

「まさか彗星が地球に衝突する懸念が生じたわけではないでしょうね?」

決してありえない話ではない。一九九四年にシューメーカー・レヴィ第九彗星が木星に衝突しているし、二〇一四年には火星に衝突すると言われている彗星もある。

「それはない」ペインターは否定した。「彗星は宇宙的に見れば地球にかなり接近するが、衝突するおそれはない。だからと言って、何の危険もないわけでもない。我々は昨日からNEOの動きを注視している」

「NEO?」

「地球近傍《きんぼう》天体のことだ。地球付近を通過する彗星のエネルギーのために、地球に引き寄せられるおそれがある小惑星の監視を続けている。ビリヤード台の上のボールのように、彗星の軌道の影響を受けた天体がすでに激しく動き始めているのだ。その結果、最近になって流星雨が頻発している」

「南極での出来事もそれが原因ですね」

「その通りだ。だからドクター・ショウと話をしたかったのだ。彼女はこうした重力の歪みに関して誰よりも熟知している。SMCのスタッフの意見を総合すると、この異常がさらに増大し続ければ、彗星が地球に最接近した際、とてつもない規模の流星雨が発生するかもしれないということだ。そうした変化に対してすでに反応を見せているかなり大きな小惑星が複数あり、NASAも監視を行なっている」

グレイはペインターの声から恐怖の色を感じ取った。「それを食い止める方法はないのですか？」

「SMCの物理学者は、その質問に答えられるのはドクター・ショウしかいないと考えている。彗星の地球への接近に比例して歪みが増大しているのには、何らかの理由があるはずだという意見に傾きつつあるらしい。彗星のエネルギーは何かに反応しており、その何かがこの地球上に存在しているに違いないということなのだ」

「ジェイダもそう確信しているようでした」そう認めながら、グレイは盗まれた遺物の捜索に同意したことを安堵した。「彼女は我々の探し求めている古代の十字架が、あの彗星が前回地球に接近した時に落下したかけらから作られたのではないかと考えています。十字架にはまだダークエネルギーの一部が残っていて、両者は——十字架と彗星は、量子レベルでもつれているのではないかということです」

「それならば、その遺物を発見する必要がある」

それに関して、グレイはいい知らせを伝えることができた。「確かな手がかりを得られたかもしれません。現在、ヴィゴーに詳しく調べてもらっているところです。今のうちからキャットに我々のチームの移動手段の手配を始めてもらっておいた方がいいと思います」

「場所はどこだ?」

「ロシア南部の国境近くにあるバイカル湖です。ここから北に約五百キロのところです」

「すぐに取りかかるように伝えておく。その程度の距離なら、数時間もかからないはずだ。だが、急いだ方がいい。衛星の写真にとらえられた出来事が現実のものとなるまで、あと四十八時間しか残されていない」

事態は急を要するということを改めて痛感しながら、グレイは電話を切り、仲間たちのもとに戻った。スイートルーム内では、全員がヴィゴーとラップトップ・コンピューターのまわりに集まっていた。

「どうしたんだ?」グレイは訊ねた。

ヴィゴーが振り返った。「バイカル湖に関して調べれば調べるほど、ここに間違いないという確信が強まっているのだよ」

レイチェルも頬を紅潮させて笑みを浮かべていた。「バイカル湖のどこを探せばいいかまで、わかったかもしれないわ」

「どこなんだ?」グレイもみんなのもとに向かった。

「まず、言い伝えによると、チンギス・ハンの母親はバイカル湖のとある島で生まれたらしいの」

「ここでも島か」グレイはつぶやいた。

当然の流れに思える。最初の遺物はハンガリーのボソルカーニシゲット、すなわち「魔女の島」に隠されていた。二つ目の遺物があったのは、かつてアラル海が水をたたえていた頃に島だったところの地下だ。

「その島の名前はオリホン島だ」ヴィゴーが説明した。「地元に伝わる話では、チンギス・ハンの母親はその島の出身らしい。その言い伝えが事実である可能性は高いように思える」

グレイは頭の中で考えを巡らせた。〈チンギス・ハンの過去を探るのであれば、母親の胎内よりも昔にさかのぼることはできない〉

ヴィゴーの説明は続いている。「チンギス・ハンの遺体がその島に埋葬されているとの伝説もある。もっとも、その噂に関してはあまり重視するべきではないな。同じような噂が残る場所はアジア各地にいくらでもある。だが、この島にまつわる言い伝えによれば、チンギスは世界を破壊する力を秘めた『大いなる武器』とともに埋葬されているそうだ」

レイチェルがうなずいた。「『チンギスの墓が発見されて暴かれたら、世界は終わりを迎える』とモンゴル人の間で広く信じられているのは、この伝説がもとになっているのかもしれないわ」

グレイは二人からにじみ出た興奮が自分にも伝わってくるのを感じた。

「もっと現実的な問題に目を向けると」ヴィゴーが言った。「その島では考古学者たちの手によって数多くのモンゴルの武器や遺物が発見されている。チンギスの時代のモンゴルの戦士たちがその島を訪れたという歴史的な記録も残っている。ただし、彼らがそこで何をしていたのかについては、定かではない」

「島は独自の発達を遂げたシャーマニズムの中心地でもあるの」レイチェルが説明を引き継いだ。「現地のブリヤート人は古代のモンゴル人の子孫に当たり、仏教と自然主義的なアニミズムとを融合させた宗教を信仰している。彼らは宇宙の偉大なる征服者が島に居住していると信じているわ。シャーマンたちは数多く残るその征服者の聖地を今もなお守っていて、聖地を荒らせば世界の破滅を招くと信じているのよ」

〈チンギスの墓の話と似ている……〉

「最後にもう一つ」ヴィゴーが続けた。「その島を訪れた一部の旅行者から、こんな報告がある。『エネルギーの高まり』を感じたというのだ」

レイチェルもうなずいた。「その人たちは使徒トマスの十字架が放出しているエネルギーと波長が合っていたか、あるいはエネルギーに敏感だったんじゃないかしら。洞窟を訪れたら別の世界に通じる扉が開いたと主張する人もいるわ」

グレイはダークエネルギーと多元宇宙に関するドクター・ショウの説明を思い返した。今の話に出てきた「別の世界」というのは、使徒トマスの幻覚と関係があるのだろうか？

「それなら、調査に取りかかるとしよう」グレイは宣言した。「シグマの司令部には移動手段の手配をすでに依頼済みだ」

「でも、モンクたちはどうするの？」レイチェルが訊ねた。

グレイの表情が曇る。モンクたちを待っている時間的な余裕はないだろう。彼らが山間部から戻ってくるまでここにとどまっていたら、半日を無駄にしてしまう。

「先に出発する」グレイは決断した。「途中で連絡を入れればいい」

それでも、グレイの表情は曇ったままだ。

モンクたちの身に何かが起きたのでなければいいのだが。

23

十一月十九日　ウランバートル時間午後六時二十分
モンゴル　ヘンティー山脈

馬上のバトゥハンは、馬と同じく伝統的な革の鎧《よろい》をまとっていた。頭にはモンゴル風の兜《かぶと》をかぶっている。兜の頭頂部は鋼《はがね》で覆われていて、顔を隠すために本物のオオカミの皮でできた仮面も付いていた。

身元が割れるようなことがあってはならない。人を殺す必要がある場合はなおさらだ。弓の弦《つる》が耳元で今なお震え、血を求める調べを奏でている。上に見える断崖の端に立つ女の背中に、自分の放った矢が突き刺さるのをこの目で確認した。驚いた女が膝から崩れ落ちる様に、喜びを覚える。バトゥハンは仮面の下で笑みを浮かべた。胸の高鳴りがはっきりと聞こえる。

「お見事です」隣の種馬にまたがるアルスランが声をかけた。同じように革の鎧を着用し、鉄の兜をかぶっているが、仮面を着けていないために顔面の傷跡がはっきりと見える。傷口の縫合跡が、頬から額《ひたい》にかけての皮膚にくっきりと浮かび上がっている。見ているだけでおぞましさと恐ろしさを覚える。

「サンジャルはおまえのために取っておいてやったぞ」バトゥハンは告げた。

断崖の縁に確認できた獲物は二人しかいなかったため、バトゥハンは女の方を選んだ。人を殺すことにセックスと同じような快感を覚える。何が突き刺さるかの違いしかない。サンジャルを残しておいたのは、個人的な復讐を誓うアルスランの獲物だとわかっていたからだ。

断崖上からは人影が消えている。怯えた獲物たちはどこかに姿を隠したのだろう。だが、やつらに逃げ場はない。

バトゥハンは木々に覆われた暗い山腹を見渡した。周囲には馬にまたがった十人の部下たちが隊列を組んでいる。グループの中でも最も忠実な精鋭たちだ。山腹を登った先には獲物たちのいる断崖がある。

こちらは十二人の戦士。相手は三人の男と二人の女。

〈いや、残る女は一人だけだ〉

もう一人の女は殺さずにすませたいところだ。そうすれば、戦いが終わった後、かつてチンギス・ハンが率いた軍のように、部下たちに楽しみを与えることができる。それは自分たちの生まれ持った権利であり、民族の遺産でもある。今夜の殺戮《さつりく》に対する正当な報酬だ。

あの女を殺すのはその後でいい。

両足のかかとで蹴りながら、バトゥハンは馬を部下たちの前に進めた。部下たちの視線を意識しながら、馬上で背筋を伸ばす。その方が部下たちの目に頼もしく映るからだ。バトゥハンは部下たち一人一人に言葉をかけた。敬意を持って接すれば、部下たちの忠誠心も高まる。戦いを前にした有能な指揮官はこうでなければいけない。

部下の全員に言葉をかけ終わると、バトゥハンはアルスランの隣に戻り、前方の高地を指差した。氷の壁に囲まれた獲物は袋のネズミだ。山を下りるためにはこの森を抜けなければならない――あるいは、断崖から岩場へ真っ逆さまに転落するかだ。ほかに逃げ道はない。一方的な戦いになるだろう。山頂にこだまする獲物の悲鳴が今から聞こえるかのようだ。この山中にあるはずのチンギス・ハンの墓にも悲鳴が届くかもしれない。偉大なるハンは、これから訪れる殺戮と惨劇を楽しんでくれることだろう。

もはや密かに行動する必要はない。すでに最初の矢は放たれ、血が流れたのだから。

「ヤヴヤー！」バトゥハンはモンゴルの伝統的な鬨《とき》の声を叫んだ。「ヤヴヤー！」

午後六時三十三分

大地を揺るがす蹄の音が下からとどろく中、ダンカンはサンジャルとともにうずくまっていた。ここは雪線の近くにある岩の塊の陰だ。

ジェイダは岩が崩れた箇所の奥に位置する湖岸側にいるため、すぐに危険が及ぶ心配はない。ダンカンはジェイダに拳銃を渡し、簡単に使い方を説明しておいた。ジェイダは負傷したハイドゥに付き添っている。ハイドゥは今のところ命に別状はなさそうだが、できるだけ早く医師の手当てを受ける必要がある。

二人を湖岸に残し、ダンカンとサンジャルはモンクとともに崩落箇所の手前側へ移動した。これから何が起こるかを察知し、三人は急いで戦闘準備に取りかかった。矢は自分たちを怯えさせるために、戦いの始まりとなる血を流すために放たれたもので、モンゴルの戦士の習わしなのだ――サンジャルの説明によれば、そういうことらしい。

下から響く叫び声を耳にすると、サンジャルはダンカンに対して急ぐように促した。あれは突撃の合図だという。「それをヘルの足緒《あしお》に結んでください。鉤爪からぶら下がっている革紐のことです」

ダンカンは濡れたヘッドバンドを手に持ち、ハヤブサの足から垂れ下がる紐をその中に通してからしっかりと結んだ。ダンカンが作業をする間、サンジャルはフードをかぶせたハヤブサを自分の体にぴったりと寄せている。

「飛ばしてくれ」ダンカンは指示した。

サンジャルはフードを外し、ハヤブサを手首から飛び立たせた。舞い上がろうとするハヤブサの翼の力強い羽ばたきに思わず首をすくめながら、ダンカンは膝の上に置いたラップトップ・コンピューターの画面を注視した。画面の明るさはいちばん暗い設定にしてある。ハヤブサの飛翔に合わせて、画面上に上空から撮影した森の映像が表示される。ヘッドバンドに装着した小型ビデオカメラからの映像だ。水中の時よりも鮮明な映像が送られてくる。

ハヤブサは木々の梢《こずえ》の上空を旋回しながら飛行している。ダンカンは森の中を駆け上がってくる馬を数えた。少なくとも十二頭いる。馬も騎兵も戦闘用の鎧をまとっている。馬に乗っていない戦士の姿は見当たらない。

ダンカンはモンクに無線で連絡を入れた。モンクは二人のいる岩陰から離れ、迫りくる敵の部隊を迎え撃つ準備をしている。

「敵の人数はおそらく十二人」ダンカンは伝えた。「全員が馬に乗っています。弓、剣のほか、アサルトライフルも携帯している模様」

〈伝統的なやり方に頼ってばかりもいられないようだな〉

「了解」モンクの応答が返ってくる。「来客を歓迎する準備が整ったところだ」

ダンカンが首を伸ばして岩陰からのぞくと、岩が崩落したあたりで片膝を突いているモンクの姿が見えた。モンクは落石箇所の先端部分に爆薬を仕掛け、ワイヤレスの起爆装置を手際よく取り付けている。爆薬は衛星の残骸を移動あるいは回収できなかった場合、破壊するためにに用意しておいたものだ。極秘の科学技術が中国あるいはロシアの手に渡るようなリスクを放置するわけにはいかない。

しかし、事情が変わった。

ダンカンたちの計画は、ここに隠れてジェイダとハイドゥのいる湖側へ敵をおびき寄せるというものだった。敵の部隊が崩落箇所と断崖との間の狭い通り道に達したところで、爆薬を爆発させる。それによって敵の兵力をそぐとともに湖側への通路をふさぐことができれば、ジェイダとハイドゥの当座の安全は確保される。

こちら側に残された敵は、ダンカン、モンク、サンジャルの三人が相手をする。人数的には不利だが、ほかに選択の余地はない。

最も重要なのは、爆破のタイミングにある。

空からの目が必要なのはそのためだ。

モンクが急いで戻ってくる間も、ダンカンは画面から目を離さずにいた。先陣を切って木々の間を進む騎兵は、オオカミの顔のような仮面をかぶっている。どうやら蒼き狼の首領は、自ら参戦することにしたらしい。

「来ましたよ」ダンカンは小声でささやいた。

三人は岩陰で姿勢を低くした。森を抜けて平地に出てきた騎馬軍団に姿を見られては元も子もない。

画面上で馬と騎兵の動きが止まった。一人の騎兵がライフルを構え、ほかの騎兵も弓を引いている。だが、周囲に人影がないことを確認すると、リーダーは崩落箇所とその先の湖を指し示した。

「ウラグシャー！」リーダーは命令した。おそらく「進め」という意味だろう。

鞘《さや》から湾曲した刀身の剣を引き抜くと、蒼き狼の首領は部下たちを先導して湖に向かって進撃を始めた。

〈こいつは好都合だ〉ダンカンは思った。

リーダーを殺すことができれば、後に残された部下たちは動揺して逃げ出すかもしれない。

モンクが起爆装置のスイッチに親指を当てた。コンピューターの画面を凝視したまま、先頭の数人が岩と断崖との間の隙間へ慎重に馬を進めるのを待ち構えている。

〈今だ〉ダンカンは心の中で促した。

その思いが聞こえたかのように、モンクは起爆装置のスイッチを押した。

だが、何も起こらない。

少なくとも、期待したようなことは。

雷管が爆竹のような音を立て、暗がりを一瞬だけ明るく照らした。いちばん近くにいた馬がその音に驚き、あわてて駆け出したためにすぐ前の馬とぶつかる。後方にいた馬たちは怯え、崩落箇所から後ずさりしたので、まだこちら側にとどまっている。

「雷管が一発目の爆薬から外れてしまったんだな」モンクがつぶやいた。「暗い中で作業をするということになるんだ」

　モンクは起爆装置を次の爆薬に切り替え、再びボタンを押した。今度は大きな爆発が山腹を揺るがした。山頂側から氷の塊と雪が敵の部隊に降り注ぐ。

　それで終わりではない。モンクは間髪を入れずに三発目と四発目を爆破させた。爆発音でダンカンの耳が聞こえなくなる。馬がいななきながら後ろ足で立つと同時に、騎兵たちが鞍から振り落とされた。

「かかれ！」モンクが指示した。

　三人は発砲しながら岩陰から飛び出した。

　引き金を引きつつ、ダンカンはジェイダとハイドゥの無事を祈った。

午後六時三十九分

　湖岸にいたジェイダは、三人の騎兵が岩を回り込んで進入してきたことに気づいた。先頭の騎兵はおどろおどろしいオオカミの仮面をかぶっている。ジェイダが銃声のような小さな音を耳にした直後のことだ。

　だが、それに続いて大きな爆発音が何発もとどろいたため、ジェイダは身をすくめながら腕で顔を覆った。煙や塵とともに大きな岩が粉々に砕ける。いくつもの岩が崩れ落ちてきて、湖と向こう側とをつなぐ通路は完全にふさがれた。細かい岩の破片が降り注ぎ、湖面に水しぶきが上がる。花崗岩の断崖を転がり落ちていく岩もある。

ジェイダは固唾《かたず》をのんで見守った。三人の騎兵が今の爆発に巻き込まれてくれれば――だが、煙の中から猛然と走る三頭の馬が姿を現した。爆発に驚いてパニックに陥っている。

その隙に乗じて、ジェイダは拳銃を構えた。繰り返し引き金を引く。今まで拳銃を撃ったことどころか、握ったことすらない。そのため、狙いを定めるよりも数で勝負するしかない。

一発が馬に命中した。後ろ足で立ち上がった馬に、騎兵が必死にしがみつく。だが、それは判断ミスだった。痛みと恐怖に怯えた馬は、後ろ足だけで飛び跳ねながらバランスを崩し、騎兵もろとも断崖から転落した。銃声の残響を騎兵の悲鳴がかき消す。

ジェイダは引き金を引き続けた。

もう一発が弓を構えようとした別の騎兵の喉に命中した。男は鞍から湖へうつ伏せに落下した。湖面を波紋が伝わっていく。

残った騎兵は銃弾をかいくぐり、湾曲した刀身の剣を高々と掲げながらジェイダへと向かってくる。オオカミの仮面をかぶっているために顔は見えない。感情を持たない自然の驚異が迫りくるかのようだ。

ジェイダは再び引き金を握る指に力を込めた。だが、引き金が動かない――スライドが後退したままロックされている。この状態が何を意味するかは、ダンカンが教えてくれた。

〈弾切れだ〉

騎兵がジェイダに襲いかかる。剣が月明かりを反射して輝く。

その時、耳元を矢が通過し、矢羽がジェイダの耳をかすめた。

矢は馬の首に命中した。

馬は前のめりに倒れ、振り落とされた騎兵がジェイダの方に転がってくる。ジェイダは這ったまま後ずさりした。ハイドゥの方を見ると、弓に二本目の矢をつがえようとしている。だが、一本目の矢を放つために弓を引き絞ることで、力を使い果たしてしまったようだ。指が小刻みに震え、顔面を脂汗が滴り落ちている。やがて弓は握力を失ったハイドゥの手から離れた。

騎兵が立ち上がった。その背後では、彼の乗っていた馬が地面に倒れていた。頸《けい》動脈を射抜かれ、岩肌に動脈血が広がっていく。

ハイドゥは哀れむような眼差しで馬を見つめていた。馬を狙って矢を放ったわけでないのは明らかだ。狙いが外れて命拾いをした男は、剣を手に取り、二人の方へゆっくりと近づいてくる。男の手のひらはホルスターに収めた拳銃に添えられている。

ハイドゥがジェイダの方に顔を向けた。訴えるような表情が浮かんでいる。「逃げて……」

ジェイダはその言葉に従い、勢いよく立ち上がると、頭から湖に飛び込んだ。

水中に潜るジェイダの後を追うかのように、男の下卑た笑い声が聞こえる。

自分にも、あの男にも、わかっている。
逃げ場などないということは。

午後六時四十三分

ダンカンは馬と人で混乱する中を走っていた。崩落した岩が吹き飛んだ時点で、こちら側にはざっと数えたところ剣やライフルで武装した敵が八人ほど残っていた。ダンカン、モンク、サンジャルの三人が敵の不意を突いて攻撃を仕掛けたことで、そのうちの四人を片付けることができた。

だが、危険なのはこれからだ。

敵の一人が高地の端で馬を降り、地面に伏せて狙撃態勢を取っている。ライフルを乱射してくるため、ダンカンたちは防戦一方だった。身を隠せる場所がほとんどない開けた地形なので、格好の標的になってしまう。だが、八頭の馬と狙撃者の仲間たちを盾代わりにして、ダンカンたちはかろうじて銃弾の餌食にならずにすんでいた。

〈盾が動くのをやめてくれれば、あるいは殺そうとするのをやめてくれれば、まだ手の打ちようがあるんだが……〉

モンクがつま先の近くで跳ね返った銃弾をよけながら、ダンカンにぶつかった。そのまま二人で馬の陰に身を隠し、一呼吸入れる。ダンカンは手綱をしっかりと握り締め、馬が自分たちと狙撃者との間から動かないようにした。

その直後、サンジャルも二人に合流した。

モンクがあえぎながら指示した。「ダンカン、あの狙撃者を始末してくれ」

〈大賛成だ……あいつにはもう我慢ならない〉

「サンジャルと俺はあの岩の壁を乗り越える」そう言いながら、モンクは湖の方を指差した。

少し前に湖の側から響いた銃声は全員が耳にしていた。爆破の直前に数人の敵が向こう側へすり抜けてしまったに違いない。ということは、誰かがジェイダとハイドゥを助けにいかなければならないことを意味する。

ダンカンは理解した。そのためには、狙撃者を始末する必要がある。そうしないことには、モンクとサンジャルが狙撃者からは丸見えのあの岩をよじ登り、無事に向こう側まで行けるとは思えない。

「わかりました」ダンカンは答えた。「でも、この馬は貸してもらいますよ……あと、こいつの兜も」

ダンカンは足もとの死体の頭から兜を引き抜き、自分の頭に乗せた。準備ができると、あぶみに片足をかけ、モンクがうなずくのを確認してから鞍にまたがる。ダンカンは手綱をつかみ、馬を狙撃者に向かって走らせた。一気に速度を上げた馬の蹄が大地を踏みしめるたびに、革の鎧が大きくはためく。

ダンカンは馬の首にしがみついて低い姿勢を取った。これならば狙撃者の目には馬と兜しか見えていないはずだ。狙撃者が発砲した――だが、狙いはダンカンの後方に向けられている。壁に向かって走るモンクとサンジャルの姿に気づいたのだろう。

ダンカンは暗がりで光る銃口を目指した。もっと速く走るように馬を促す。チャンスはこの一回限りだ。蹄が花崗岩の岩肌を叩く。馬の首筋から汗が流れ落ちる。

ようやく狙撃者のもとに到達した。

顔を上げた狙撃者とダンカンの目が合う。狙撃者は偽装に気づいたが、すでに手遅れだった。馬は直前で相手をよけようとしたが、ダンカンは手綱を握り締めてそれを許さない。体重四百キロを超えるモンゴル馬が、地面にうつ伏せになっていた狙撃者の体を踏みつけた。骨が粉砕され、肉が押しつぶされる。

次の瞬間、ダンカンと馬は狙撃者の体の上を走り抜けていた。斜面を下り、森の端が近づいてくる。馬の速度を緩め、方向転換させるまでに数メートルを要した。ダンカンは素早く鞍から降りた。狙撃者の様子を調べるためではない――どう考えても死んでいる。ライフルを確保するためだ。ここで形勢を逆転させなければならない。

だが、運悪く蹄に踏まれたため、ライフルの銃床は折れ、銃身も曲がってしまっていた。それでも、ダンカンはライフルを手に取り、暗視スコープをのぞいて仲間の姿を探した。

死体の転がる一帯を見回すうちに、ダンカンはモンクの姿をとらえた。壁沿いに倒れた死体の脇に立っている。モンクの銃口からは煙が噴き出していた。そのすぐ近くでは、サンジャルに喉を切られた別の男が、地面に倒れたところだった。その時、ダンカンは一頭の馬に気づいた。生き残った最後の敵が、馬を駆りながら二人の背後から接近している。

「モンク！」ダンカンは叫んだ。

馬のいななきと蹄の音が、ダンカンの警告をかき消した。

スコープを通して見るダンカンの目の前で、男の振り下ろした剣がサンジャルの背中を切り裂いた。男はもう片方の手に握ったライフルを構え、モンクに狙いを定めようとしている。ダンカンは男の顔に見覚えがあった。傷だらけであってもわかる。

アルスランだ。

ダンカンはすでに走り出していた。間に合うわけがないと知りつつ。

午後六時四十七分

勝利はじっくりと味わわなければならない。

バトゥハンはモンゴル人の若い女を見下ろして立っていた。まだ十代だろう。腹部は真っ赤な血に染まっている。馬を一撃で倒したからには、確かな弓の腕前を持っているらしい。バトゥハンの剣は女の小さな乳房の間に押し当てられていた。服と皮膚を切り裂いた剣の先端は、女の胸骨にまで達している。

女の顔は苦痛に歪んでいるが、それでも石のように冷たい視線をバトゥハンからそらそうとしない。

タフで気の強い女だ。

バトゥハンは同じモンゴル人として誇りを感じた。だからと言って、見逃してやるつもりなどない。お気に入りのチンギス・ハンの言葉が脳裏に浮かぶ。〈自分が成功するだけでは十分ではない――ほかの人間すべてが失敗しなければならない〉

この女には苦しみの少ない死を与えてやることにしよう。

だが、アメリカ人の女は別だ。

バトゥハンはもう片方の手に握った拳銃を湖に向けた。無防備なあの女はじっくり追跡すればいい。どうせ逃げる場所はないし、身を守るための武器も持っていないのだから。

仮面の下で笑みを浮かべながら、バトゥハンはモンゴル人の女に向き直った。剣を深く突き刺したら、どんな快感を得ることが――その時、背後で大きな水音がした。

後ろに目を向けると、湖から暗い影が姿を現した。伝説の黒い女神のようだ。影はバトゥハンに駆け寄り、頭を目がけて手にした鈍器を振り回した。

午後六時四十九分

ジェイダはけだものの頭を目がけてバールを振り回した。頭を首からもぎ取ってやるとの意気込みで、手にありったけの力を込める。

湖に飛び込んだ後、ジェイダは衛星のハッチをこじ開けたダンカンがバールを湖底に置き去りにしていたことを思い出した。拳銃の扱いには慣れていないかもしれないが、ここ数年はトライアスロンの大会に出場していたので、スタミナと泳ぎには自信がある。水中に潜ったまま泳ぎ続け、息継ぎが必要になった時だけ浮かび上がり、水面から唇と鼻だけを出して呼吸する。目標地点に達すると、ジェイダは湖底に向かって潜り、透明な水に差し込む月明かりを頼りにバールを発見した。

それから水面に浮上し、夜の湖面に反射する星の光が姿を隠してくれるはずだと信じて、浅瀬に戻ってきたのだった。

男が完全に背を向けるまで待ってから、ジェイダは水中から飛び出し、攻撃を仕掛けた。しかし、男はとっさに身をかわし、ジェイダの一撃を兜の頭頂部で受け止めた。

鋼鉄と鋼鉄のぶつかる音が響き渡る。

衝撃がジェイダの腕から肩に伝わった。指先の感覚がなくなり、バールが手から滑り落ちる。岩の上に落ちたバールが甲高い音を立てる。

一方、相手の兜にも大きなへこみができていた。後ずさりする男の足がもつれる。男が剣を落とした。足もとがふらついている。だが、拳銃はしっかりと握ったままだ。

男は拳銃の銃口をジェイダの胸に向け、もう片方の手で傷ついた兜を剝ぎ取った。ジェイダに向かってモンゴル語で罵声《ばせい》を浴びせる。オオカミの仮面に代わって、怒りと復讐の念が男の表情を支配している。

男は銃口をジェイダの胸に突きつけようとした――次の瞬間、男の表情が苦痛に歪む。男はそのまま両膝から地面に崩れ落ちた。

その背後では、ハイドゥが男の手から落ちた剣を握っていた。刀身に血が付着している。鎧の防御が最も手薄な膝の裏側を切られた男は、腱を切断されて体を支えることができなくなったのだ。

ジェイダは水に濡れたブーツを突き出し、まだ何が起きたのかわからない様子の男の指から拳銃を蹴飛ばした。拳銃が宙を舞い、水しぶきをあげながら湖に姿を消す。さらに地面に落ちたバールを拾い上げると、アッパーカットのパンチを打ち込むかのように男の顎に叩きつけた。男の頭ががくんと後ろに傾く――男はそのまま仰向けに倒れた。

岩に頭を強打して、男は意識を失った。両脚からの出血は続いている。

ジェイダはハイドゥのもとに駆け寄り、手を貸して立たせた。

まだ危険が去ったわけではない。

午後六時五十二分

焦りばかりが募る中、ダンカンの周囲の光景がスローモーションのように動く。泥沼にはまってしまったかのように、足が思うように前に進まない。必死に走るダンカンの目の前で、サンジャルが背中を切られ、振り返ろうとするモンクの背中にアルスランがライフルの銃口を向ける。

足もとは人間や馬の血で滑りやすくなっている。興奮した馬たちの大きな体が、ダンカンの行く手を遮る。

〈間に合わない〉

がっくりと両膝を突いたサンジャルが、上を向いて大声で叫んだ。「ヘル！」

その名前を聞いて、アルスランがひるんだ。立ち止まって首をすくめ、ハヤブサの攻撃に備えてライフルを頭上に向ける。

〈鳥の影に怯えている〉

その間にモンクが振り返り、拳銃を構えようとした。

しかし、その前にサンジャルが立ち上がり、手にした短剣をアルスランの首に深く突き刺した。ハヤブサ使いは鳥の幻影を使って従兄弟を恐怖に陥れたのだ。激しい攻撃を受けたばかりのアルスランが、過剰な反応をするはずだと考えたのだろう。

サンジャルは喉に突き刺した短剣をひねりながら、従兄弟を地面に押し倒した。口と鼻から大量に出血したアルスランの体が激しく痙攣《けいれん》する。やがてアルスランの体から力が抜けた。目からも生気が感じられない。サンジャルはアルスランの体を押しやった――そのまま仰向けに倒れる。

サンジャルの体の下に、星明かりを反射する液体が広がっていく。

ようやくダンカンは二人のもとにたどり着いた。両膝を突いて地面を滑りながら、サンジャルのそばに向かう。だが、ダンカンは後れを取った。

空から影が舞い下りたかと思うと、艶《つや》のある体が飼い主の胸の上に止まった。ヘルが翼を羽ばたかせながら、サンジャルの顎や頬に頭をすり寄せている。

サンジャルの両手がハヤブサの体を包んだ。指が動き、ヘルの鉤爪から革の足緒を外す。サンジャルは顔を持ち上げてヘルを唇へと引き寄せ、首筋に何かをささやいた。

別れを告げ終えると、サンジャルの頭が後ろに倒れた。星空を見上げるその顔には、かすかな笑みが浮かんでいる。何度か胸を上下させながら、サンジャルはそのまま横たわっていた――やがてその両手から力が抜け、相棒の体から静かに離れる。

ヘルが飛び立ち、星空に高く舞い上がった。

サンジャルもその星空を見つめている。だが、彼はすでに息を引き取っていた。

午後七時十分

恐怖に駆られて全員が帰り支度を急いでいた。

すでに乾いた服に着替えていたジェイダは、急いでバックパックを背負った。中にはジャイロスコープのケースが入っている。衛星の残骸の中からこれを回収するために、多くの血が流れてしまった。その犠牲を無駄にすることは絶対にできない。

〈サンジャル、かわいそうに……〉

作業を進めながら、ジェイダは周囲の惨状に背を向け、なるべく意識しないように努めた。けれども、付近一帯は死が支配している。すぐ近くの岩場に転がる何かに踏みつけられたかのような無残な死体に、ついつい目がいってしまう。

岩をよじ登って助けにきてくれたダンカンの姿にほっとしたのは、ほんの数分前のことだ。

もっと早く来てほしかったところだが、ハイドゥをこちら側まで運ぶのには間に合ってくれた。

モンクはまだ少女の手当てをしている最中だ。医学の心得があるようで、持参していた救急箱を使って手際よく応急措置を施している。体から突き出ている鉄の矢じりと矢羽は切断したものの、腹部を貫通した木製の矢柄《やがら》はそのままにしてある。引き抜くのは危険と判断したのだろう。その代わりに、突き出した両端を避けながら、腹部にはきつく包帯が巻かれている。

「さあ、出発するぞ！」ハイドゥの手当てを終えると、モンクが声をかけた。これから街まで戻らなければならない。

ダンカンがうなずきながら馬にまたがった。暗視スコープを装着して眼下に広がる森に目を配っている。暗い森の中に待機している部隊がいるかもしれないし、増援が駆けつける可能性もある。

だが、急いでいる理由はそれだけではない。

暗い森のあちこちから、ひっきりなしに遠吠えが聞こえる。しかも、鳴き声は次第に大きくなっている。血と肉のにおいに引き寄せられているのだ。

これ以上、ここでぐずぐずしているわけにはいかない。

モンクがハイドゥを抱え上げてダンカンに渡した。少女を受け取ったダンカンは、馬にまたがったまま膝の上にそっと抱きかかえた。山麓までダンカンが彼女を運ぶことになっている。

ジェイダも鞍にまたがった。自分にも急いで下山しなければならない理由がある。ジェイダはバックパックの上からジャイロスコープのケースに手を置いた。ようやく回収したこの戦利品の中に答えがあるのなら、安全な場所に、できればアメリカに、それも自分の研究室に、持ち帰らなければならない。

できるだけ早く。

何が起ころうとも。

モンクが大きく腕を振り、下を指差した。「出発！」

午後七時二十五分

バトゥハンは雷鳴で目を覚ました。

半ば朦朧とした意識のまま、湯気を噴き上げる湖の岸辺で肘を突いて体を起こす。夜空に星が輝いているのを見て、バトゥハンは顔をしかめた。

〈雷の音ではない……〉

意識がはっきりしてくると、走る馬の足音が山にこだましていることに気づいた。蹄の音は次第に遠ざかっていく。

「待ってくれ」部下に見捨てられたのではないかと恐れ、バトゥハンはかすれ声をあげた。

声とともに顎に激しい痛みが走った。指先で触れると、顎が切れて血まみれになっている。次第に記憶がよみがえってきた。

〈あの女め……〉

バトゥハンは脚を動かした――動かそうとした。両脚を激痛が貫く。バトゥハンは血にまみれた両脚に目を向けた。どうして思い通りに動かないのだろうか？　両膝の裏の痛む部分を手で探ると、深い切り傷がある。腱が切断されているため、両脚は体の下に付いているだけの飾りと同じだ。これでは体重を支えることなどできない。

〈まずい……〉

部下たちに知らせなければならない。

〈あの馬鹿どもは、私が死んだと思ったに違いない〉

バトゥハンは役に立たなくなった両脚を引きずりながら、腕の力だけで、倒れた馬を目指して進み始めた。体が鉛のように重く感じられる。どこかを動かすたびに、新たな痛みが走る。額《ひたい》に汗が浮かび、顎から血が滴り落ちる。まるで下半身が炎に包まれているかのように熱い。

〈何とかして携帯電話を取り出さないと〉

連絡を入れることができれば、もう心配はいらない。部下が助けにくるまで、ここで休んでいればいい。

ふと顔を上げたバトゥハンは、いくつかの影が動いたことに気づいた。爆破で崩れ落ちた岩の上のあたりだ。

まだ誰かがあそこにいる。

バトゥハンは片手を上げた――低いうなり声がそれに答えた。

いくつもの黒い影が岩場を飛び越え、近づいてくる。

オオカミだ。

遺伝子にすり込まれた恐怖が全身を包む。

〈こんな死に方は嫌だ〉

バトゥハンは横に転がりながら断崖を目指した。生きたまま食いちぎられるよりも、自らの手で苦しみの少ない死を迎えた方がましだ。その必死の思いを、言うことの聞かない両脚が妨げる。両脚から流れる血が点々と跡を残す。いくつもの影がバトゥハンに近づく。大きな体をしているくせに、音を立てずに忍び寄ってくる。

だが、どうにかバトゥハンは断崖まで達した。わずかな慰めを覚えながら、断崖から身を投げる。その時、何かが片腕をつかんだ。手首に嚙みついた牙が、肉を貫いて骨にまで食い込む。別の顎が前腕部を覆う革の鎧をつかんだ。バトゥハンの落下が止まる。何本もの強い脚と獲物への執着心が、バトゥハンの体を断崖の上に引き上げる。

無数の歯に引きずられ、バトゥハンは断崖の上で仰向けになった。

目の前には群れのリーダーの顔がある。うなり声をあげる口の中には、鋭い歯と長い牙が見える。

これは仮面ではない。

チンギス・ハンの本当の顔だ。

無慈悲で、情け容赦なく、強固な意志を持つ。

オオカミの群れはいっせいにバトゥハンの体に食らいついた。

24

十一月十九日　東部標準時午前七時五十二分
ワシントンDC

　地球の裏側では、ペインターが自分のオフィスの中で遠く宇宙を見つめていた。壁に設置された大型のLCDモニターには、無数の星を背景にして大きな黒っぽい岩石が映っている。窪みの多いその表面は、歴戦の兵士を思わせる。

「数分前、ハワイにあるNASAの赤外線望遠鏡観測施設から、この写真が送られてきました」ペインターの背後に立つキャットが説明した。「小惑星番号九九九四二、名称は『アポフィス』。過去にも問題児と見なされたことがあり、トリノスケールが一から二に引き上げられた最初の小惑星です」

「トリノスケールというのは？」

「地球近傍天体が地球に衝突する危険性を表す指標です。〇は衝突の可能性なし、十は衝突が確実を示します」

「アポフィスはその可能性が二に高まった最初の小惑星だったのか？」

「短期間ではありますが、最終的には四にまで達しました。その当時は三十七分の一の確率で地球に衝突すると見られていたのです。その後、衝突の危険は低くなっていました――今日まではでは、ですが」

「ロサンゼルスのＳＭＣからは何か言ってきているのか？」

「向こうでは彗星周辺の重力の歪みの監視を続けながら、局所的な影響を推計しています。特に彗星の軌道上にある地球近傍天体の中でも最大級のものを注視していて、その一つがアポフィスなのです。彗星周辺のエネルギー場の重力効果が現状のまま変化しないと仮定した場合でも、アポフィスのトリノスケールは五に相当し、地球に脅威を及ぼすレベルとなります。しかし、彗星の接近に比例して歪みが増大した場合、アポフィスのトリノスケール上の値もそれに合わせて上昇します」。

ペインターはキャットの方を振り返った。「どこまで上がると予想されているんだ？」

「ＳＭＣの見解では、衝突確実の『赤』のレベルに達するとのことです。スケールでは八、九、十に当たります」

「その赤のレベルの中での違いは？」

「人類が生き延びることのできる衝突――すなわちスケール八と、地球壊滅のおそれがある衝突です」

「後者がスケール十だな」

キャットはうなずきながら、モニターの画面を指差した。「アポフィスは直径三百メートル以上、質量は四千メガトンです。我々の計算が正しければ、これが東海岸へと向かっているのです」

「しかし、東海岸に衝突するのはこのように大きな一個の塊ではなく、小さな隕石群のはずじゃなかったのか？」

「ＳＭＣはアポフィスが高層大気圏で爆発し、その破片が東海岸一帯に降り注ぐと予測しています。衛星が撮影した画像は、隕石の雨が降りやんだ後の光景なのです」

ペインターはキャットの表情をつぶさに観察した。ほかにも何か気になっている点があるようだ。「まだ私に話していないことがあるな？」

「時間軸です」キャットがペインターの方に向き直った。「衛星からの画像は今から四十六時間後を撮影したものでした。でも、さっきも申し上げたように、あれは隕石の雨が降りやんだ後の光景です。燃焼率、煙の濃度、破壊の規模などに基づいてＳＭＣの技師が計算したところ、実際に隕石が衝突したのはその六時間から八時間前だということです」

「つまり、迫りくる災厄を食い止めるための時間が少なくなったというわけか」

「六時間あるいは八時間少なくなっただけではありません」

「どういう意味だ？」

「先ほど説明したように、何らかの方法で彗星からの影響のスイッチを切ることができたとしても、アポフィスがすでにトリノスケールで五に相当することに変わりはありません。エネルギー場がアポフィスの軌道をそこまで変えてしまったのです」

「スイッチを切っても元の軌道に戻るわけではないというのだな？」

「そうです」

キャットは怯えた表情を浮かべながら、これまでの話の結論に入った。「重力の歪みを監視している物理学者と話をしました。彼はアポフィスがトリノスケール八に達し、地球への衝突が不可避となるまでにどのくらいの時間が残されているか、計算してくれました。その段階を超えたら、もはや小惑星の地球への衝突は回避できません。それ以降はエネルギー場のスイッチを切っても切らなくても、同じことなのです」

「後戻りのできなくなる時が訪れるのはいつなんだ？」

キャットはペインターの目を見つめた。「今から十六時間後です」

ペインターは机に寄りかかった。息苦しさを覚える。

〈十六時間……〉

心を恐怖が締め付ける――だが、ペインターはその恐怖を押しやった。成し遂げなければならない任務がある。ペインターは決意も新たにキャットの顔を見た。

「ドクター・ショウはどこにいる？」

ウランバートル時間午後八時十四分
モンゴル　ヘンティー山脈

四十五分間にわたって休むことなく馬に揺られていたジェイダは、鞍から下りることができてほっとしていた。山腹に広がる暗い草地の中にある小さな木立に達したところで、モンクから休憩の指示が出たのだった。モンクはダンカンに手を貸して、ハイドゥを馬から下ろしている。山腹を下る間、ダンカンは負傷したハイドゥをずっと膝に乗せて抱えていた。

「十分間だ」そう言いながら、モンクはハイドゥとともに倒木のところまで移動し、傷と包帯のチェックを始めた。

ダンカンがジェイダのもとに近づいてくる。

ジェイダは地面に膝を突き、バックパックを肩から外した。フラップとジッパーを開いて中に手を入れ、ジャイロスコープを収めたケースを取り出す。ジェイダは掛け金を外し、ケースを開いた。一時間近くバックパックの中で馬の背に揺られ続けていた中身が無事か、確認せずにはいられなかったのだ。

ケースの中には完全な球体の水晶がある。その表面には夜空に浮かぶ星の光が反射している。

郵便はがき

お手数ですが
切手をおはり
下さい。

102-0072

東京都千代田区飯田橋2-7-3
（株）竹書房

THE SIGMA FORCE SERIES ⑧

チンギスの陵墓

愛読者係行

A	芳名《フリガナ》	B 年齢 歳（生年 ）	C 男・女
D	血液型	E ご住所 〒	

F	ご職業	1 小学生	2 中学生	3 高校生	4 大学生 短大生	5 各種学校	6 会社員	7 公務員	8 自由業	9 自営業	10 主婦	11 アルバイト	12 その他（ ）

G	ご購入書店 区（東京） 市・町・村 書店 CVS	H	購入日 月 日

I	
	ご購入書店場所（駅周辺・ビジネス街・繁華街・商店街・郊外店）
	書店へ行く頻度（毎日、週2・3回、週1回、月1回）
	1カ月に雑誌・書籍は何冊ぐらいお求めになりますか（雑誌 冊／書籍 冊）

●今後、御希望の方にはEメールにて新刊情報を送らさせていただきます。メールアドレスを御記入下さい。

＿＿＿＿＿＿＿＿ @ ＿＿＿＿＿＿＿＿

＊このアンケートは今後の企画の参考にさせていただきます。応募された方の個人情報を本の企画以外の目的で利用することはございません。

シグマフォース シリーズ⑧ チンギスの陵墓

4F

竹書房文庫をご購読いただきありがとうございます。このカードは、今後の出版の案内、また編集の資料として役立たせていただきますので、下記の質問にお答えください。

J ●この本を最初に何でお知りになりましたか？

1新聞広告（　　　　　　　　新聞）　2雑誌広告（誌名　　　　　　　　　）
3新聞・雑誌の紹介記事を読んで　（紙名・誌名　　　　　　　　　）
4ＴＶ・ラジオで　　5インターネットで
6ポスター・チラシを見て　　7書店で実物を見て
8書店ですすめられて　　9誰か（　　　）にすすめられて
10その他（　　　　　　　　　）

K ●内容・装幀に比べてこの価格は？

1高い　2適当　3安い

L ●表紙のデザイン・装幀について

1好き　2きらい　3わからない

M ●この作品の映像化（映画・ドラマ）を観てみたいと思いますか？

1観てみたい　2観たくない　3小説だけでいい

N ●〈シグマフォース〉シリーズの番外編を読んでみたいと思いますか？

1読みたい　2読みたくない　3シリーズだけでいい

O ●〈シグマフォース〉シリーズの好きなキャラクターは誰ですか？

P ●最近、お買い求めになった、あるいは読んだ本はなんですか

Q ●お好きな、あるいは継続して読まれているシリーズものはなんですか？

R ●今後どのようなプレゼントがあったらよいですか？

S ●本書をお買い求めの動機、
ご感想などをお書きください。

見たところは問題なさそうだが、それだけでは安心できない。

ジェイダはダンカンを一瞥《いちべつ》した。ジェイダが不安気な表情を浮かべていることに気づいたダンカンは、ふたを開いたケースの上に手のひらをかざしてくれた。

「大丈夫だ」ダンカンが宣言した。「まだ強いエネルギーを放出している」

ジェイダは安堵のため息を漏らした。

ハイドゥの包帯の確認を終えたモンクが、立ち上がりながらジェイダに声をかけた。衛星電話を掲げている。「やっと電波が入った。これからシグマの司令部に連絡を入れる」

ジェイダは立ち上がった。「私にもクロウ司令官と話をさせてください」

カリフォルニアに到着したらすぐに分析を開始できるように、研究室に対してあらかじめ準備の指示をしておく必要がある。ほんの一、二時間の差が成功と失敗の分かれ目になるかもしれない。

モンクがジェイダを手招きした。だが、ジェイダが数歩進んだところで、モンクは手のひらを向けて制止した。「そこで止まってくれ！　また電波が入らなくなった」

ジェイダは両手を見下ろした。ジャイロスコープのケースを抱えたままだ。「『目』が放出しているエネルギー場のせいかもしれません」ジェイダはモンクに向かって叫んだ。

「だったら、そっちに置いてきてくれ」モンクが指示した。

ジェイダは周囲を見回した。この大切な装置を地面の上に置き去りにはしたくない。

ダンカンがあまり気の進まない様子で近づき、両手を差し出した。「俺が向こうに持っていくよ。離れていれば、それだけ電波が入りやすくなるんだろう?」

「そうだと思うわ」

ダンカンはまるで毒ヘビをつかむかのように、敏感な指で戦利品を受け取った。「状況を確認してきてくれ」そう言い残すと、開けた草地の方に歩いていく。

荷物から解放されたジェイダは、モンクのもとに急いだ。すでにペインターと電話がつながっていて、モンクはこれまでの一連の出来事の要点を手短に説明していた。このような報告には慣れているらしく、流血の惨劇の模様も事実をかいつまんで的確に伝えていた。

ペインターへの報告が終わると、モンクはジェイダに衛星電話を手渡した。「向こうも君と話をしたがっているみたいだ」

ジェイダは電話を耳に当てた。「クロウ司令官ですか?」

「モンクの話によると、君が回収した衛星のジャイロスコープには、奇妙なエネルギーが宿っているそうだな」

「彗星と同じエネルギーだと考えられますが、SMCの研究室に戻らないことには断言できません」

「君の要望についてはモンクから聞いた。私も同意見だ。カリフォルニアまで最短時間で戻れるように、キャットが輸送手段を手配してくれる。だがその前に、君がいない間の状況の変化について知らせておかなければならない」

ペインターの説明の中に、いい知らせは一つも含まれていなかった。

「十六時間ですか？」ペインターの説明が終わると、ジェイダは困惑しながら聞き返した。

「ウランバートルに戻るだけでも二時間はかかってしまうんですよ」

「モンクには空港へ直行するように伝える。給油を終えたジェット機が君たちと『神の目』を待機しているように手配しておくよ」

「ＳＭＣからの最新のデータを私のラップトップに転送してもらえますか？　カリフォルニアまでの移動中にすべてのデータに目を通しておきたいんです。飛行中に研究室のスタッフと話のできる機密の回線も用意していただけると助かります」

「任せておいてくれ」

ジェイダは細かい要望をさらにいくつか伝えてから、衛星電話をモンクに返した。移動手段などに関する詰めはモンクにお願いするしかない。

ジェイダはモンクから離れながら、両腕を自分の体に巻き付けた。寒さと恐怖の両方のせいだ。夜空に尾を引く彗星を見上げる。

〈あと十六時間〉

残り時間がたったそれだけだなんて。そんな恐ろしいことがありうるのだろうか？

けれども、ジェイダはさらなる恐怖を感じていた。自分は重要な何かを見落としているのではないか、そんな気がしてならなかったからだ。

午後八時四十四分

ダンカンは草地の端に立っていた。ジャイロスコープの入ったケースを左右の手のひらで挟み込み、指先が直接触れないように注意して持っている。それでも、気味の悪いエネルギー場が押す力を感じる。かすかに波打つかのような脈動を伴っているため、ケースの中には鼓動する心臓を持つ何かが入っているかのような錯覚に陥る。

ダンカンは身震いした——寒さのせいではない。

両腕に鳥肌が立つ。

〈早くしてくれ〉

衛星電話で話をするモンクの小声が聞こえる。ここから脱出するための手段の打ち合わせをしているのだろう。

一刻も早く、ここから離れたい。

こいつも手放してしまいたい。

落ち着かない気持ちを紛らすために、ダンカンは草地と森の境目を歩き始めた。だが、地面から突き出していた根につまずいてしまった。前に数歩よろめきながら、不安に駆られている自分にあきれる――その時、もっとあきれるような事態が起きた。

左右の手のひらで挟んでいたケースの下半分が不意に開いた。ケースを閉じた後、ジェイダは掛け金をかけ忘れていたに違いない。もっとも、自分も掛け金を確認しようと考えすらしなかった。

ダンカンの見ている目の前で、完全な球体をした水晶がゆっくりと落ちていく。宇宙の謎のエネルギーを秘めた物体が、ケースの底から飛び出し、地面に落下し、草地に茂るヤマアラシガヤの間を転がっていく。

ダンカンはその後を追った。

〈こいつをなくしたりしたら……〉

ダンカンはコートの外に飛び出しそうなバスケットボールをつかむかのような手つきで、球体の水晶をすくい上げた。だが、ケースで覆われていない水晶に素手で触れたショックから、地面に両膝を突いてしまう。手のひらにダークエネルギーの衝撃が伝わり、痙攣する指先が球体の表面から離れない。ダンカンにはもはやエネルギー場と水晶との境目がわからなくなっていた。まるで指と球体が一体化しているかのような感覚だ。

両膝を突いた姿勢のまま、ダンカンは手でつかんだ球体を高く掲げた。不快感に耐えられず、水晶を投げ捨てようとする――その時、内部に光る炎に目が留まった。ダンカンは球体を凝視した。水晶を通してウルフファングの姿が見える。

しかし、ウルフファングの山頂付近の様子は一変していた。雪ではなく岩粉《がんぷん》に覆われている。焼け落ちた山腹の森は濃い煙を噴き上げていて、森の外れでは木々がまだ激しく燃えさかっている。

ダンカンは水晶を下ろした――さっきまでと同じ、夜の景色が広がっている。

再び水晶を通して見る――周囲は炎に包まれていた。

ダンカンは立ち上がり、水晶を目の前にかざしたまま一回転した。どの方角に「目」を向けても、炎に焼き尽くされた惨状が広がっている。北側を向くと、破壊の元凶と思われるものが見えた。遠方に煙を噴き上げるクレーターがある。

〈どういうことだ?〉

「何をしているの?」背後からジェイダの声が聞こえて、ダンカンははっとした。

あまりの驚きに声も出ないまま、ダンカンはジェイダの方に球体を差し出した。水晶を通してウルフファングの方を見るよう、指で示す。

不可解な指示に顔をしかめながらも、ジェイダはダンカンの隣に立ち、水晶をのぞき込んだ。そのまましばらく動かない。〈きっと驚いているに違いない〉

「それで?」ようやくジェイダが言葉を発し、ダンカンの顔を見た。

「見えないのか?」

「何が？」

「山や森だよ。何もかもが破壊されている」

ジェイダは「頭がどうかしちゃったの？」とでも言いたげな表情でダンカンの顔を見つめている。「そんなもの、見えないわよ」

〈何だって？〉

ダンカンは水晶の中心に映る、炎に包まれた惨状に視線を戻した。この災厄が見えているのはどうやら自分だけらしい。

けれども、これではっきりとわかったことがある。危険にさらされているのはアメリカの東海岸だけではない。地球全体が危機に瀕している。

そのことを悟ったダンカンは、一つの結論しか導き出すことができなかった。

〈もうおしまいだ〉

第四部　炎と氷

25

十一月二十日　イルクーツク時間午前一時二分
ロシア　バイカル湖

グレイたちはフェリー用の桟橋《さんばし》の上で凍えていた。闇に包まれた桟橋の上には雲一つない夜空が広がっている。五百キロほど真南に位置するウランバートルと比べると、夜の冷え込みはひときわ厳しい。グレイたちは全員がパーカを着込み、毛皮の付いたフードをかぶっていた。深夜の遅い時間にオリホン島まで渡るほかの乗客は、同じようにしっかりと着込んだ地元の人が一人いるだけだ。

湖岸の小さな村サキュルタからオリホン島までは一・五キロほどの距離があり、通常なら観光客は船で村と島との間を行き来する。しかし、不思議なことに冬期にはバスが唯一の交通手段となる。

ただし、人工の橋が造られているわけではない。

バスが氷の上を走行して村と島とを結んでいるのだ。冬期には深い湖が厚い氷に覆われ、バスの重量にも耐えられるのだという。風に飛ばされたさらさらの雪が積もった氷上に、車両が通行した跡を確認することができる。

　レイチェルが不安そうな目でバスを見つめている。ほかの仲間からもこの交通手段を信頼している様子は見受けられない。コワルスキでさえもいつもの陽気さは影を潜めていた。

「これまでに何度も凍った海を旅してきた経験から言わせてもらうけどさ」コワルスキがつぶやいた。「この氷の下には絶対に怪物がいるぜ」

　グレイはコワルスキを無視した。装備が車内に積み込まれたのを確認してから、全員にバスに乗るよう合図する。乗客が座席に着くと、運転手は扉を閉め、アクセルを踏み込み、氷の上を走り始めた。まだ冬が訪れてから間もないため、曇った窓ガラスを手でこすって外を眺めたグレイは、バスに揺られながら一抹の不安を覚えた。一月になれば大きな湖は完全に凍結するため、寒さに耐えることさえできれば歩いて湖の対岸まで渡ることも可能らしい。

　だが、まだ氷はそこまで厚くない。湖の彼方に目を向けると、湖面に波が立っているのがわかる。グレイはすでにこの湖に関する資料に目を通していた。バイカル湖は地質学上の驚異ともいうべき存在だ。世界最深のこの湖は、ゆっくりと離れつつある二枚のプレートの隙間に水がたまって形成されたもので、遠い将来には新たな海になると言われている。

　その時まで地球が今のままで存在するのであれば、の話だが。

　グレイは腕時計を確認した。バイカル湖の近くにあるロシアの都市イルクーツクに着陸後、ペインターに連絡を入れたグレイは、時間がさらに切迫していることを知らされた。すでに残り時間は約十二時間しかない。今頃はモンクもウランバートルを離陸し、ドクター・ショウとダンカンとともにカリフォルニアへと向かっているはずだ。

ドクター・ショウがカリフォルニアで「神の目」を調べる一方で、グレイたちはここで十字架の発見を目指すという計画だ。彼女は独力で解決策を見つけることができるかもしれないが、それが難しい場合に備えてグレイたちがここにいる——もちろん、そのためには使徒トマスの遺物を発見しなければならない。

しかし、ドクター・ショウもグレイも、時間という大きな問題に直面していた。

ドクター・ショウがアメリカへ戻るまでに七時間から八時間はかかるため、貴重な時間が失われてしまう。一方、グレイたちの側も似たような状況にある。

調査の開始は日の出を待たなければならない。夜の闇の中ではどうすることもできないからだが、それよりも問題なのはどこから調査を始めればいいのかに関する具体的な手がかりがまったくないことだった。オリホン島は長さが七十キロ、幅が二十一キロある。島の東半分は最高峰のジマ山をはじめとする険しい山岳地帯で、モミの森で覆われている。残りの半分は砂丘、草原地帯、カラマツの林などから成る。

たとえ昼間であっても、捜索には困難が予想される。しかも、手がかりとなる場所が何もない状態では不可能に近い。

そのため、ヴィゴーが別の方法を提案した。

「誰かに聞いてはどうだろうか？」と。

島にはモンゴル人の入植者の子孫に当たるブリヤート人と呼ばれる人たちが、千五百人ほど暮らしている。

ヴィゴーはヴァチカンのコネを使い、ブリヤート人の最高位のシャーマンとの面会の約束を取りつけてくれた。島の秘密に詳しい人間を探すのであれば、まずは仏教と自然信仰が奇妙に融合したこの地の宗教の最高指導者に当たってみるべきだろう。ただし、ブリヤート人は外国人嫌いで有名だ。彼らにとって最も神聖な場所は、女人禁制とされている。シャーマンと会えるだけでも奇跡に近い。

しかし、どうやったら話を聞き出すことができるのだろうか？

グレイはこちらの手の内をすべて明かすことを提案した――チンギス・ハンの遺物をすべて、シャーマンに見せてはどうかと。島に関するブリヤート人の秘密をシャーマンから引き出すためには、遺物が鍵になるはずだと考えたからだ。

シャーマンは面会に同意してくれたものの、時間は日の出後を指定してきた。グレイたちと話をする前に、一日の最初の陽光を浴びて身を清める必要があるというのがその理由だった。いくら言葉を尽くして説得しても、その一点だけは譲ろうとしなかった。

〈それまでに多くの時間が失われてしまう……〉

その一方で、全員が疲労困憊《こんぱい》しており、睡眠と休息の時間が必要なことはグレイも認めざるをえなかった。それにシャーマンと面会する頃には、モンクたちもカリフォルニアに到着しているはずだ。ということは、両チームが迫りくる脅威への解決策を導き出すためにかけることができるのは、約四時間ということになる。

〈シャーマンは危機が迫っていることを知らない〉

氷の出っ張りにぶつかってバスの車体が跳ねると、コワルスキが巨体を縮こまらせた。前の座席の背もたれをきつく握り締めたまま、窓の外を一心に見つめている。「あそこにいるのは何だ？　氷の穴の近くだよ」

グレイがコワルスキの言う方向を見ると、氷の上の黒い塊がバスの通過に驚き、湖に潜るところだった。「落ち着け。ただのアザラシだよ」

「みんなそうやってごまかそうとするんだよな」コワルスキはぶつぶつとつぶやいている。

「氷の下には何が隠れているのかわからないんだぜ」

どうやらこの男は氷に覆われた水に関するトラウマを抱えているようだ。だが、グレイは放っておくことにした。もうすぐ島に到着する。

ヴィゴーが車内を移動し、グレイの隣に座った。窓の外に見える大きな黒い島影を指差す。

「岩が突き出して岬のようになっているところを見たまえ。現地の言葉で『ホリン・イルギ』と呼ばれている。『馬の頭』の意味だ。湖の水を飲もうとしている馬の頭に似ているだろう。

この地を訪れたチンギス・ハンの時代のモンゴルの戦士が、あの場所を神聖視していたとの話が残っている。岬の形が自分たちの皇帝を象徴していると考えたに違いない」

グレイは岬の影に目を凝らした。モンゴル人は馬を非常に大切にしていた。ヴィゴーの説明によると、骨でできた船の隠し場所に通じていたアラル海のトンネルの入口にも、馬に似た岩があったという。

「手始めにあそこを探せばいいとの考えですか？」グレイは訊ねた。

「それはどうかな」ヴィゴーは答えた。「あの岬はこの島でも最も訪れる人が多い場所だ。何かが隠されていれば、とっくの昔に発見されているだろう。私が言いたいのは、この島にはチンギス・ハンの伝説と関係のある場所が数多く存在するということだ。我々はその中から彼の墓がある地点を特定しなければならない」

「例のシャーマンが教えてくれるかもしれないですね」

「もし彼が何か知っているとすれば、同じく神に仕える身の人間に対してならばその秘密を明かしてくれるだろう」ヴィゴーは疲れた笑みを浮かべた。「信じる心を失ってはいけないよ、ピアース隊長。十字架がここにあるのなら、我々は必ず見つけ出す」

「もちろんです。でも、間に合うように発見できるのでしょうか？」

父親が息子を力づけるかのようにグレイの膝を軽く叩いてから、ヴィゴーは自分の座席に戻っていった。椅子に座ると、気遣うような眼差しでずっと様子をうかがっていたレイチェルの肩に手を回す。

　車体が大きく揺れたかと思うと、バスは凍結した湖面から島に上陸した。砂地の湖岸を進み、細長い島の中央を縦に貫く狭い道へ乗り入れる。オリホン島の最大の村までは、さらに島を半分ほど縦断しなければならない。シャーマンとはその村の近くにある聖地で面会する手筈になっている。

　そのまま四十五分間ほど、島の西岸に広がる枯れた草地沿いを進むバスに揺られた後、一行はフジュルの村に到着した。苔むした屋根の木造家屋が集まった小さな美しい村で、明るい色に塗られた杭《くい》を使った柵が、小さな庭やヒツジ小屋を囲んでいる。島の西岸の小さな湾に沿って家が建ち並んでおり、宿泊施設は二軒しかない。

　グレイはそのうちの小さい方の宿を選んでいた。観光シーズンではないため、宿を借り切ることができた。と言っても、部屋は十二室しかないのだが。

　バスは宿の入口前に停車した。二階建てのログハウスで、少し離れたところにある湾の景色が見渡せる。裏手には馬小屋があるほか、建物の壁沿いには数台の四輪バギーが並んでいる。島内を探索する宿泊客のレンタル用だろう。

　全員がバスから降りて建物内に入った。宿の持ち主は年配のロシア人夫婦で、拙い英語の代わりに頭を下げたり身振りを交えたりしながら会話を進めようとしてくる。グレイたちの到着に備えて、小さな共用部屋にある石造りの暖炉には赤々と炎が燃えていた。居心地のよさそうな部屋の床は木製で、ふかふかの椅子があり、壁沿いには食事用の長いテーブルが置かれている。

うすら寒いバスの中で長時間過ごした後だったので、最初のうちは暖炉の火が息苦しいほどに感じられた。しかし、チェックインと部屋の割り当てがすむと、グレイは暖炉の前に立って両手を炎にかざしていた。

ヴィゴーはやれやれといった様子で椅子に座り込んだ。「このままここで寝かせてもらおうかな」

「寝るぞ」それだけ言い残すと、コワルスキは普段よりもだいぶ夜更かしをしてしまった子供のように両目をこすりながら、階段を上っていった。

今回ばかりはグレイもコワルスキと同意見だった。かみ殺すことができず、大きなあくびをしてしまう。「失礼。みんなできるだけ睡眠を取るべきだ。清めの儀式に合わせてシャーマンと会うためには、日の出の一、二時間前には起きる必要があるからな」

「それはあんたたち男だけの話でしょ」セイチャンが不機嫌そうに応じた。

シャーマンの要求をのんで譲歩しなければならなかったもう一つの点がそこだ。女性の立ち入りは認められなかった。ブリヤート人の聖地に入れるのは男性のみと厳しく制限されている。

「セイチャンと私は心地よい室内でゆっくりさせてもらうから」レイチェルが言った。「あなたたちは寒い中を歩き回るから大変よね」

明るい調子の言葉とは裏腹に、レイチェルの表情は曇ったままだ。おじの後頭部をじっと見つめている。ヴィゴーが目の届かないところに行ってしまうことが不安でたまらないのだろう。レイチェルは暖炉脇に座るおじの隣の椅子に腰を下ろした。

さらに二言三言、言葉を交わしてから、全員が今夜はもう休むことにした。

階段を上るグレイは、足もとの板が薄気味の悪い音とともにきしむのを耳にして、不吉な予感に襲われた。踊り場のところにある窓は、彗星の光で輝いている。けれども、危険はもっと近くに存在するのではないか、グレイはそんな気がしていた。何者かが密かに忍び寄っているような予感がしてならない。

〈いったい誰が？〉

だが、グレイの後ろからはセイチャンが物音一つ立てずに階段を上がってくるだけだった。

午前三時三分

レイチェルはあわてて目を覚ました。銃声が聞こえたからだ。

暖炉脇の椅子に座ったまま、うとうとしていたことに気づく。再び暖炉の中の薪《まき》がポンとはじける音に、恐怖が治まっていく。レイチェルは自分がどこにいるかをすぐに思い出した。次に腕時計で時間を確認する。

　驚いたレイチェルは隣を見た。

「ヴィゴーおじさん、こんな遅い時間なのに何をしているの？　もう朝の三時過ぎよ。あと数時間もしないうちに起きないといけないのに」

　暖炉を挟んで反対側に座るおじは、このあたりのガイドブックを開いて膝の上に乗せていた。老眼鏡のガラスが炎を反射して光っている。

「ここへ来るまでの間に、飛行機の中で寝たし、バスの車内でも仮眠を取ったよ」おじは指を立てて振りながら、レイチェルの心配を打ち消そうとしている。「あと二時間も寝れば大丈夫さ」

　だが、レイチェルにはおじの説明のすべてが嘘だとわかっていた。移動中ずっと、目を離さずにいたからだ。おじは一瞬たりとも目を閉じていなかった。今だって、おじの額《ひたい》には汗がにじんでいる。暖炉の炎の熱が理由ではない。青ざめた顔色がそのことを如実に物語っている。

　おじが眠れないのは年齢のせいではない。膝の上に置かれた本に対する興味からでもない。痛みのせいだ。

　レイチェルは椅子から立ち上がり、おじのもとに歩み寄った。足もとにひざまずき、おじの両脚に体を預ける。

「お願いだから教えて」レイチェルは声をかけた。自分の意図を伝えるのにそれ以上の言葉は必要ない。

ヴィゴーが大きくため息をついた。息遣いに合わせて両目の目尻にかすかに苦痛の色が浮かぶ。ヴィゴーは本を脇に置き、暖炉の炎を見つめた。「膵臓《すいぞう》癌だ」ヴィゴーは小声で答えた。心を痛めているように見えるのは、病気のせいではない。これまで秘密にしていたことを悔やんでいるのだろう。

「どのくらいなの？」

「宣告を受けたのは三カ月前だ」

レイチェルはおじから視線をそらさずにいた。自分の質問の意図とは異なる答えだ。「どのくらいなの？」レイチェルは重ねて訊ねた。

「あと二カ月、せいぜい三カ月だ」

真実を耳にして、レイチェルは安堵と恐怖という二つの感情に襲われた。これまでずっと、漠然とした不安を抱えていたレイチェルは、真実を望んでいた。真実を必要としていた。恐怖の正体を突き止める必要があった。けれども、その真実が明らかになった今、もはや淡い期待を頼りにすることはできない。

目に涙があふれる。

ヴィゴーは手を伸ばしてレイチェルの涙をぬぐった。「泣かないでほしい。だから誰にも知られたくなかったのだよ。これまで知られずにすんでいたのだが」

「私には話をしてくれてもよかったのに」

「どうしても……」ヴィゴーは再び大きなため息をついた。「自分だけの問題にしておく時間が必要だったのだよ」

おじは首を左右に振った。もっと上手に説明できない自分をもどかしく思っているかのような仕草だ。

けれども、レイチェルには理解できた。おじの膝に置いた手に力を込める。おじは自分に死期が迫っていることに対して、それが避けられない運命だということに対して、まず自らの心の中で折り合いをつける必要があったのだ。それからでなければ、ほかの人と真実を共有することはできない。

その後、おじは詳しい説明をしてくれた。多くの膵臓癌の例に漏れず、最初はまったく自覚症状がなかったこと。症状が出始めた当初は消化不良だろうと軽く考えていたのだが、すでに手遅れの状態だったこと。癌は腹部全体から肺にまで転移していること。緩和医療のみを選択し、痛みがひどい時だけ薬を服用していること。

「せめてもの慰めは」ヴィゴーは暗い知らせばかりの病状の中で唯一の明るい話を持ち出した。「最期の時が訪れるまで、比較的元気でいられるということだ」

レイチェルはあることに思い当たってはっと息をのんだ。今回の調査旅行に加わることを無理やり引き止めなくて本当によかった。これがおじにとって最後の旅になるだろう。

「その時までずっと一緒にいるわ」レイチェルは約束した。

「ありがとう。でも、君の人生も大切にしないといけないよ」ヴィゴーは自分の体を手で示した。「これはかりそめの存在にすぎない。さらなる素晴らしい存在へと通じている小さな贈り物にすぎない。けれども、その贈り物を無駄にしてはいけない。後で使おうと考えて棚にしまったりしてはいけないのだよ。二本の手でしっかりと握り締め、今を楽しまなければ、毎日を有意義に生きなければいけないのだ」

レイチェルはおじの膝の上に頬を乗せた。肩の震えを止めることができない。悲しみをこらえ切れそうにない。

ヴィゴーはそんなレイチェルを受け止めた。頭にそっと手のひらを置き、優しい声で語りかける。

「愛しているよ、レイチェル。君は私の娘だ。これまでずっと、私にとって娘も同然の存在だった。君と一緒に人生を過ごせたことが、私にとって何よりも大切な思い出だ」

レイチェルはおじの膝にしがみついた――離れたくないからではない。離れなければならない時が近づいていると悟ったからだ。

〈私も愛しているわ〉

午前三時十九分

ベッドの上に寝転がったまま、セイチャンは片腕で両目を覆いながら涙をこらえていた。下からの声はすべて聞こえた。自分の寝室は共有部屋の真上に当たる。この木造の建物にどのような音響効果があるのかわからないが、たとえ小さなささやき声であっても、この部屋にははっきりと届く。

盗み聞きをするつもりだったわけではない。話し声で目が覚めてしまっただけだ。

ヴィゴーの言葉からは深い愛が伝わってきた。

〈君は私の娘だ〉

その本心からの言葉に、セイチャンは胸を打たれた。ヴィゴーはレイチェルの実の父親ではないのに、二人の間には本当の父と娘のような絆が存在する。

聞くともなしに二人の会話に耳を傾けているうちに、セイチャンの頭の中に母の顔が浮かんだ。深く知らない相手の顔だ。二人の間には時と悲劇という深い溝が存在する。母と娘の関係を取り戻そうとするのではなく、まったく別の何かを作ることはできないだろうか？　過去の失われた夢を共有する見知らぬ二人として、新しい関係を築くのだ。消えかけたその残り火から、新たな火を起こすことができるのではないだろうか？

セイチャンはかすかな希望の光を、わずかな可能性を感じた。

ベッドから体を起こす。このままでは眠れっこないとわかっているから。

ヴィゴーの言葉が頭から離れない。

〈……その贈り物を無駄にしてはいけない。後で使おうと考えて棚にしまったりしてはいけないのだよ。二本の手でしっかりと握り締め、今を楽しまなければ……〉

ベッドから下りて床に立ち、裸体の上にゆったりとしたシャツを羽織る。裸足のまま、自分の寝室から冷え切った廊下に出る。彼の部屋には鍵がかかっていない。そのまま暖かく暗い室内に忍び込む。

室内の小さな暖炉では、残り火が鈍い輝きを発している。

ベッドに歩み寄る。自分の寝室と同じシングルベッドで、厚手のキルト地の布団とやわらかなダウンの枕がある。そっとベッドに潜り込み、彼の筋肉質の裸体に触れる。彼が目を覚ます。驚いた彼がとっさに反応し、鋼のような指で前腕部を握り締める。あざができるのではないかと思うほどの力強さだ。彼女に気づいて指先の力を緩めるが、離そうとはしない。暖炉の火を反射して目が輝く。

「セイ――?」

彼の唇に指を当てて言葉を遮る。もう言葉は必要ない。自分の気持ちを、彼の気持ちを、言葉で表そうとする必要はない。

「何を――?」

指の代わりに唇を重ね、彼の質問に答える。

〈今を生きる〉

26

十一月二十日　日本標準時午前四時四分
太平洋上空

ジェット機がエアポケットに入り、ジェイダははっとして顔を上げた。目の前に置いたラップトップ・コンピューターは開いたままだ。作業をしながらデータの照合を待っているうちに、いつの間にか頭を前に傾けて居眠りをしてしまっていたらしい。

「背もたれを倒してちゃんと睡眠を取った方がいいぞ」隣に座るダンカンが勧めた。「モンクみたいに」

ダンカンが親指で示す先には、革張りの機内に座る三人目の乗客がいる。モンクはジェット機のエンジン音に負けないほど、大きないびきをかいていた。

「寝ていたわけじゃないわ」ジェイダは大きなあくびを手で隠しながら反論した。「ちょっと考え事をしていただけ」

「本当かい？」ダンカンは片手を持ち上げた。ジェイダのもう片方の手は、ダンカンの手をしっかりと握り締めている。「それなら、何を考えていたのかぜひ教えてもらいたいね」

ジェイダは頬が赤くなるのを感じながら手を引っ込めた。「ごめんなさい」

ダンカンは笑みを浮かべた。「全然気にしていないよ」

不意に気まずい思いに襲われて、ジェイダは窓の外に視線を移した。機体の下の雲間から海が見える。コンピューターの画面上の時計によると、離陸してからまだ三時間に満たない。

「日本の上空を通過したところだ」ダンカンが説明した。「あと五時間もすれば、カリフォルニアに到着する」

客室内を見回しながら、ジェイダは別の飛行機のことを思い出した。同じように豪華な内装のジェット機だった。今回の冒険はロサンゼルスから始まり、ワシントンDCに飛び、さらにカザフスタン、モンゴルへと向かった。そして今、すべてが始まった場所への帰途に就いている。

〈世界を一周してしまった〉

その世界を救うために。

これが世界の見納めの旅行になるのではないことを祈るしかない。ダンカンが「神の目」を通して見た光景が現実のものならば、この惑星全体が危険にさらされている。

ジェイダの視線がテーブルの上に置かれた箱に注がれる。ウランバートルを離陸する前、電磁放射がジェット機の電子機器に干渉するのを防ぐため、ジェイダは容器に銅線を巻き付けて即席のファラデーケージを作り、その中に「神の目」を密閉した。箱の上に手のひらをかざしたダンカンは、この装置のおかげで電磁放射がかなり弱まっていることを確認してくれた。けれども、この程度の仕掛けでは、「神の目」が持つより強力な量子効果を防ぐ役には立たない。

銅線を巻き付けたくらいで封じ込めることは不可能だ。

ジェイダの視線に気づいたのか、ダンカンが質問を投げかけた。「『目』を通しての例の破壊の光景は、どうして俺だけにしか見えなかったんだろう?」

気を紛らせてくれたことにほっとしながら、ジェイダは肩をすくめた。「あなたは『目』から発生している量子効果に対して敏感なのよ。そもそもの始まりは、『目』に起こったことが衛星のカメラのガラスのレンズにも影響を及ぼし、属性の変化したレンズの中を光が通過した時に、カメラのデジタルイメージセンサーが近未来の光景をとらえたんじゃないかと思うの」

「それで、俺の場合は?」

「前にも話をしたように、人間の意識は量子場の中にある。何らかの理由で、あなたは『目』の中の量子変化と波長が合っているのよ。指先に磁石を埋め込んだのが原因で、そうなったのかもしれない……あるいは、もともと人一倍敏感なのかもしれないわ」

「使徒トマスと十字架の関係みたいなものだな」

「そうかもしれない。でも、あなたのことを『使徒ダンカン』と呼ぶつもりはないわよ」

「そいつは残念だな。語呂は悪くない気がするんだけど」

ラップトップ・コンピューターが小さなアラーム音を鳴らすと同時に、デスクトップ画面に新しいフォルダーのアイコンが現れた。衛星経由で送信されたＳＭＣからの最新データだ。

〈やっと届いたわ……〉

「仕事に戻るのかい？」ダンカンが訊ねた。

「ちょっと調べたいことがあるの」

ジェイダはフォルダーを開き、中の文書に目を通した。これから彗星の軌道をグラフ化し、ダークエネルギーのコロナの動きを追うつもりでいる。何かがずっと頭に引っかかったままだ。新たな情報によって頭の中のもやもやの原因がわかればいいのだが。

ジェイダは関連する情報を照合し、グラフ作成プログラムにかけた。もう一つ、ダークエネルギーの性質を示した自身の数式に、最新の統計と数字を当てはめなければならない。ジェイダの作成した数式は、ダークエネルギーの源――宇宙の量子の泡における仮想粒子の崩壊――に関する彼女の理論と、それによって生じる重力とを、見事なまでに結びつけていた。当座の問題の核心はそこにある。それを一言で要約すれば……

引き合う力。

仮想粒子は互いに引き合う。その対消滅《ついしょうめつ》の結果として生じるエネルギーが、質量に対して重力という基本的な力をもたらす。電子や陽子や中性子などが互いに引き合って原子を形成する際の「弱い力」や「強い力」の原動力となるのがこの力だ。衛星が惑星のまわりを公転したり、太陽系や銀河が回転したりするのも、この力が原因だ。

作業を進めるうちに、ジェイダはＳＭＣの数式に複数の誤りが含まれていることに気づき始めた。主任物理学者が立てた仮定を、送られてきた最新のデータからは裏付けることができないのだ。ジェイダの作業速度が上がる。眠気が吹き飛んでいく。募る恐怖とともに、心の中に真実が形成され始める。

〈私の方が間違っているんだわ……そうに決まっている〉

指が猛スピードでキーボードを叩き続ける。結論を下す前に、再確認をしないといけない。

「どうかしたのか？」ダンカンが訊ねた。

ジェイダは不安を口にしたかった。誰かと分かち合いたかった。けれども、そうすることで、より現実味を帯びてしまいそうな気がする。

「ジェイダ？」

ジェイダは観念した。「ＳＭＣの物理学者──後戻りできない時点がいつ訪れるかについて、試算してくれた人だけど、彼の計算には誤りがあったわ」

「確かなのか？」ダンカンが腕時計に目をやる。「彼の計算では十六時間後ということだった。つまり、現時点もまだ九時間ほど残っていることになる」

「間違っていたのよ。彼の計算は、彗星の重力の歪みが地球への接近に比例して増大しているという事実に基づいていたわ」

「それが間違っていたのか？」

「いいえ、そのことは正しかったのよ」ジェイダは作成したグラフを画面上に呼び出した。

「これを見て。彗星からのダークエネルギーのコロナが、接近するにしたがって地球の側に引っ張られて、徐々に長くなっているのがわかるでしょ」

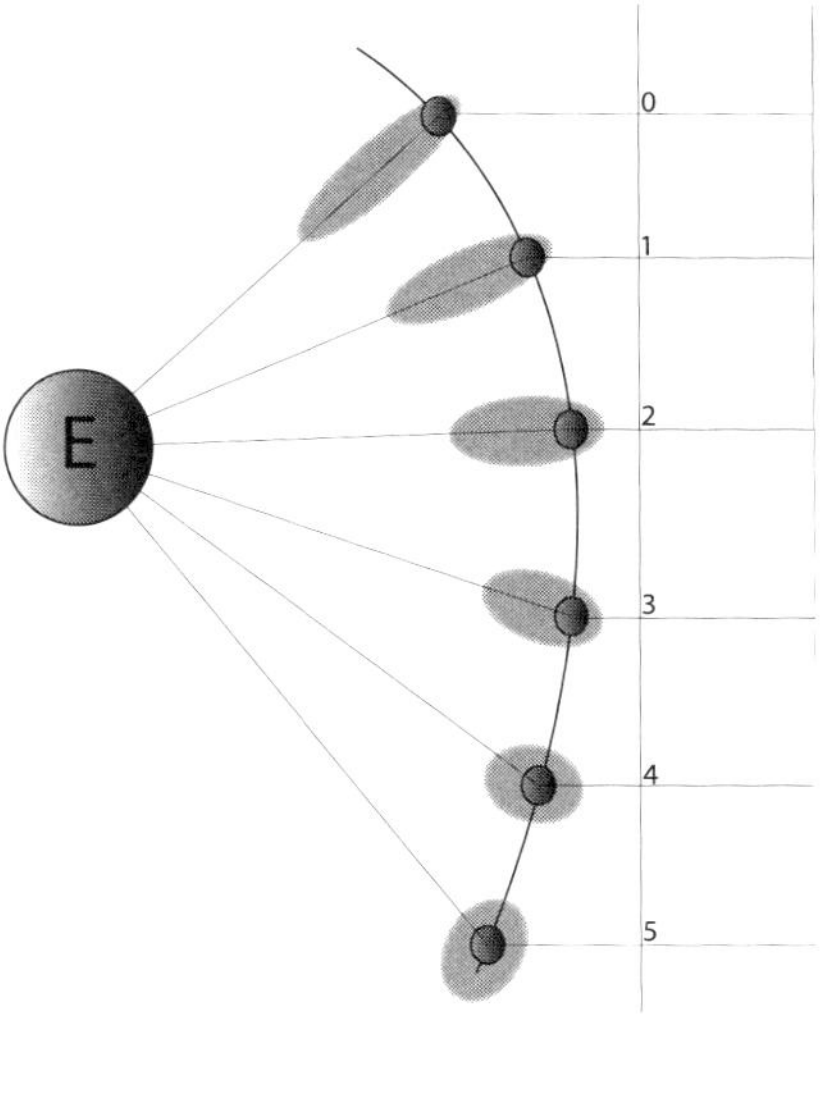

ジェイダは説明を続けた。「同様に、地球周辺の時空の曲率も、その重力効果に反応している。時空は外側に向かって湾曲し、二つが互いに引き合いながら、小惑星の雨が降り注ぐ通り道を徐々に形成しつつあるのよ」

「その物理学者の考えが正しかったのなら、何が問題なんだ?」

「彼はある誤りを犯した。新しいデータがそのことを証明している」

「どんな誤りなんだ?」

「彼は重力効果が幾何学的に増大すると見なした。つまり、一定の割合で増えていくということ。けれども、私の考えではそうじゃないわ。幾何級数的に増大している」ジェイダはダンカンの顔を見た。「簡単に言うと、はるかに速く増えているのよ」

「どのくらい速いんだ?」

「データを私の数式に当てはめないことには確かなことは言えないけれど、小惑星の衝突が回避不可能になるまでに残されているのは、せいぜい五時間といったところだわ。九時間ではないのよ」

「残り時間が半分になるのかよ」問題を即座に理解したダンカンは、座席の背もたれに体を預けた。「それまでの間にロサンゼルスに着陸できれば運がいい方だぞ」

「この二日間の私たちのことを振り返って考えると、運を当てにしない方がよさそうだわ」

午前四時十四分

〈何てこった……〉

ダンカンは座ったまま呆然としていた。

ジェイダからは落ち着くように言われている。まだ推測の段階にすぎないのだ。確認を取るため、ジェイダは自身の数式に基づいて設計した分析プログラムにデータを当てはめているところだ。

結果が出るのを待ちながら、ダンカンは指先でこめかみをこすった。「何であの衛星はよりによってモンゴルなんかに墜落したんだろうな？　例えば、アイオワ州とかでもよかったのに。地球を半周しなければならないから、貴重な時間が失われてしまうんだ」

キーボード上でジェイダの指が止まった。

「どうしたんだ？」ダンカンは訊ねた。

「それよ……気になって仕方がなかったのはそのことよ。どうして今まで気づかなかったのかしら」ジェイダは目を閉じた。「ずっと引き合う力が働いていたのよ」

「どういう意味だい？」

ジェイダは再びグラフを指差した。彗星のダークエネルギーのコロナが地球の側に引っ張られていることを示すグラフだ。「SMCの物理学者は、地球上の何かと衛星のエネルギーとが反応しているのではないかと考えていた。私も同じ意見だわ」

「前にも言っていたじゃないか。十字架がその相手なのかもしれないって」ダンカンは応じた。

「十字架は彗星が前回接近した時に落ちてきたかけらから彫られたものだからだ」

「その通りよ。二つは——彗星と十字架は、量子的にもつれていて、互いに引き合っている可能性が高いわ。エネルギー的に、という意味でだけれど。十字架を発見してそのエネルギーを調べれば——あるいは『神の目』のエネルギーでもいいんだけれど、そうすれば、そのもつれを断ち切る方法が見つかるんじゃないかと考えていたわ」

ダンカンはうなずいた。理論的には納得のいく考え方だ。「そうすれば、彗星のエネルギーは地球の側に引き寄せられなくなる——同時に、地球周辺の時空も彗星の方に湾曲することはない」

「だから、小惑星の雨を降らせる通り道が形成されることもない」

〈お見事だ、ドクター・ショウ〉

「質問が二つある」ダンカンは言った。「彗星と十字架との間に引き合う力が存在すると、どうしてそこまで断言できるんだ？　あと、そのもつれを断ち切るためには何をすればいいんだ？」

「その二つの質問への答えは同じよ。またアインシュタインの言葉を引用するけど、『神はサイコロを振らない』のよ」

　ダンカンのぽかんとした表情に気づいたのか、ジェイダは説明を続けた。「ついさっき、なぜ衛星はモンゴルに墜落したんだろうって言ったわよね？　あれ以上のいい質問はないと思うわ」

「ほめてもらったのはうれしいけど……」ダンカンはまだよくのみ込めてない。

「逆に私から質問させてもらうわ。十字架が隠されているのではないかと今の時点で私たちが考えているのはどこ？」

「バイカル湖の島だ。五百キロほど……」その瞬間、ダンカンは理解した。自分でも目を丸くしているのがわかる。「地球規模で考えたら、衛星が墜落した地点の裏庭も同然のところだ」

「それってすごい偶然だと思わない？」

　ダンカンはうなずいた。

〈けれども、神はサイコロを振らない〉

　ジェイダを見つめながら、ダンカンはキスをしたい気分だった――今までにも増して、その気持ちが高まる。「衛星が十字架の近所に墜落したのは、引き寄せられていたからだ。十字架のエネルギーに引っ張られていたんだ」

「当然よね？　彗星の持つダークエネルギーを帯びているんだから」

　ダンカンは地球側に吸い寄せられているエネルギーを示したグラフに目をやった。衛星はそのエネルギーから分離した塊のようなものだ。十字架に引き寄せられて軌道から外れ、地表に向かって落下していく衛星の姿が頭に浮かぶ。

それが正しいとすれば、ジェイダの主張するもつれの理論の裏付けとなる。ただし、もう一つの質問の答えにはなっていない。

ダンカンはジェイダに視線を戻した。「今の話がもつれを断ち切る方法についての答えでもあると言っていたと思うんだが」

ジェイダは笑顔を返した。「自明だと思うけど」

「俺にはそうじゃないんだな」

「私たちはやりかけの作業を終わらせなければいけないのよ。つまり、『目』のエネルギーと十字架のエネルギーを結合させるの。その二つを、正の電荷を帯びた粒子と負の電荷を帯びた粒子だと考えればいいわ。相反する電荷は互いに引き合い――」

「――結合すれば、電荷が相殺《そうさい》される」

「その通り。物質と反物質の衝突のエネルギー版のようなもの。相反するもの同士の対消滅で、もつれは断ち切られるはずだわ」

理論上は完璧だ。しかし……

「どうして二つは相反しているんだ？」ダンカンは訊ねた。「違いはどこにあるんだ？」

「いいこと、時間も次元なのよ。十字架も『目』も、ダークエネルギーの同じ量子を帯びているわ。でも、時間のフレーバーがまったく異なっている。それぞれが同じ軸の両端に位置しているわけ。一方は過去、一方は現在。量子のもつれというのは、その二つが一つになりたがっているということ」

「つまり、互いに対消滅しなければならないということか」

ジェイダはうなずいた。「それによってもつれが断ち切られ、彗星のエネルギーを引き寄せる力も解放される」

「それでも、もっと大きな問題が残っているぞ」ダンカンは言った。「十字架はどこにあるんだ?」

「わからないわ。でも――」

コンピューターのアラーム音がジェイダの言葉を遮った。プログラム処理が終わったのだ。点滅するボックスの中に、数字と文字が表示されている。

五・六八時間

「でも、この時間内に十字架を発見しなければならない」ジェイダがダンカンの顔を見た。「何をしなければならないか、わかっているわよね」

もちろんだ。

ダンカンは座席から立ち上がり、モンクの座席に歩み寄り、体を揺すって起こした。

「何だ……？」モンクが目をこすりながら訊ねた。「もう着いたのか？」

ダンカンはモンクの顔の前に身を乗り出した。「この飛行機をUターンさせる必要が生じました」

27

十一月二十日　イルクーツク時間午前六時四十二分
ロシア　オリホン島

グレイは日の出前に目を覚ました。別の人間と手足が絡まったままで、胸の上には温かい頬がある。二人の体のにおいが、愛の残り香が、まだ室内に漂っている。左手で彼女の肩をつかむ。指の間からすり抜け、幻影となり、熱い夢の世界へと消えてしまうのを恐れるかのように。

彼女が伸びをする。けだるそうな動きを見せる艶のある肌の下に、しなやかな筋肉の存在を感じ取ることができる。満足げなつぶやきが体をくすぐる。小首をかしげながら、彼女が目を開ける。室内のかすかな光が瞳に反射する。脚を下ろす仕草が感覚を刺激する。頭が覚醒《かくせい》してくる。

手を伸ばし、指先を彼女の顎の下に入れ、自分の方に引き寄せる。二人の唇が触れ合い、その先に待つ――

ナイトテーブルの上の携帯電話が大きな呼び出し音を発した。二人の間の魔法が解け、毛布とベッドという小さな空間よりも広い世界の存在を思い知らされる。グレイは唇を重ねたままうめき声をあげ、しばらく相手をきつく抱き締めていたが、やがて手を離すとベッドに寝たまま電話に手を伸ばした。もう片方の手は彼女の腰の曲線に添えたままだ。

「イルクーツクに着陸したところだ」最新の報告を入れるモンクの声が聞こえる。「追い風のおかげで時間を稼ぐことができた。予定よりも早く着いたよ」

モンクの邪魔が入ったのはこれで二度目だ。一度目は今から二時間ほど前、モンクのチームがこっちでグレイたちと合流することになったと伝えてきた時だった。

「了解」グレイはそっけなく答えた。「あと二時間くらいといったところだな」

セイチャンとレイチェルが宿でモンクたちの到着を待つ予定だ。その間にグレイはヴィゴーとコワルスキとともにシャーマンと面会し、できるだけ多くの情報を得てから、再びここに集まることになっている。

グレイは腕時計を確認した。八時に洞窟で行なわれる日の出の儀式に間に合わせるためには、四十五分後に出発しなければならない。

グレイは急いでモンクとの話をすませ、電話をベッド脇の床に投げ捨てた。手を彼女の腰の後ろ側に回し、体を自分の方に引き寄せる。

「さっきの続きを……」

三十分後、グレイは部屋を出た。すぐ後ろからセイチャンも続く。二人ともシャワーを浴びたばかりだ。セイチャンは丈の長いシャツ一枚しか着ていない。グレイとしてはそれ以外に何も着る必要はないと言いたいところだが、廊下の肌寒さは屋外が氷点下の気温だということを教えてくれる。グレイはセイチャンの手を握り、自分の隣に引き寄せ、唇を重ねた。これで終わりではないことの約束代わりに。

グレイがセイチャンから手を離した時、廊下の先の扉が開き、レイチェルが部屋から出てきた。三人の視線が合う。一瞬、レイチェルは驚いた表情を浮かべたが、すぐに気まずそうな顔で目をそらした。だが、グレイはレイチェルが小さな笑みを浮かべたことに気づいた。レイチェルはグレイとセイチャンとの間の微妙な関係をすでに知っていたが、もはや微妙ではないとはっきり認識したに違いない。

レイチェルは小声で挨拶の言葉をつぶやきながら、一階へと向かった。階下からは焼いたベーコンといれたてのコーヒーのにおいが漂ってくる。

最後にもう一度キスをすると、グレイは着替えのため部屋に戻るセイチャンと別れ、一階へ下りた。共用部屋には、宿の主人夫妻が手を尽くした朝食が用意されていた。テーブルの上には、ソフトチーズ、トーストしたパン、ブラックベリー、ゆで卵、厚切りのベーコン、太いソーセージのほか、湖で釣れた魚を網焼きにしたり酢漬けにしたりした料理など、皿が所狭しと並んでいる。

ヴィゴーはすでにテーブルに着き、紅茶の入ったカップを左右の手のひらの間に抱えていた。

疲れた様子で、顔色もあまりよくないが、今朝のヴィゴーからはどこか満ち足りた雰囲気が感じられる。レイチェルが後ろを通る際におじの頭にキスをしてから、皿を手に取った。

グレイも二人のもとへ向かった。グレイに気づくと、レイチェルが片方の眉を吊り上げた。

「そんな頃合いだと思っていたわ」と面白がっているかのような仕草だ。当初の驚きと困惑も、相手をからかう余裕に変わったようだ。グレイはレイチェルの顔に悔やんでいるかのような切ない表情がよぎったような気もした。だが、それは自意識過剰というべきだろう。

話題を変えようと思い——もっとも、誰も話をしていなかったが——グレイは訊ねた。「コワルスキはどこです?」

「もう食事をすませたよ」ヴィゴーは扉の方を顎でしゃくった。「ここからの交通手段を調べているところだ」

窓の外の暗がりに、髪を短く刈り込んだコワルスキの頭が見え隠れしている。建物の横に並ぶ四輪バギーの状態を点検しているのだろう。湾の外れにある小さな洞窟へは、大きなタイヤを備えたバギーで向かう予定だ。

グレイが皿にたっぷり盛った朝食を食べている横で、ヴィゴーはダッフルバッグの中身の遺物の確認を始めた。コワルスキが大きな足音を立てながら建物内に戻ってきた。扉の開閉に合わせて、外の冷たい空気が進入する。表情を見る限り、コワルスキはすぐにでも出発したくてうずうずしているようだ。

「準備はいいか?」グレイは皿の上に残っていた数粒のブラックベリーを口の中に放り込みながら訊ねた。

「ガソリンは満タンだぜ」コワルスキが答えた。「いつでもオーケーだ」

その頃にはセイチャンも一階に下りてきていた。ヴィゴーのそばを通る時、セイチャンがその肩に手を置く。言葉を発することなく、指先に力を込めて何かを語りかけている。不思議なまでに親しみのこもった仕草だ——気遣いを示しているのではなく、無言で背中を押している。自分は知っているということを、ヴィゴーに伝えようとしている。

テーブルに着くセイチャンに対して、グレイは問いかけの眼差しを向けた。

だが、セイチャンは小さく首を横に振った。今は何も言えないという意味だ。

グレイが立ち上がると、それに合わせてヴィゴーも席を立った。「二人はここで待機していてくれ」グレイはセイチャンとレイチェルに伝えた。「モンクたちは九時少し前に到着するはずだから、時間が近くなったらそのつもりでいてほしい。細かい作戦を立てている時間はあまりない。ドクター・ショウによれば、残り時間はさらに少なくなったらしい」

グレイは新しい計算結果と、十字架と「目」を結合させる計画について説明した。

「それらをすべて十時前までに終わらせるというのかね?」ヴィゴーはあきれた様子で訊ねた。「日の出は八時だ。ということは、『目』を十字架のところまで二時間以内で運ばなければならないじゃないか」

「シャーマンのじいさんにさっさとしゃべってもらうしかないな」コワルスキがつぶやいた。

「そういうことだ」グレイは認めた。「だが、この島はそれほど大きくない。目的の場所が遠くなければ、十分に可能だ」

〈可能でなければならない〉グレイは心の中で付け加えた。

午前七時四十四分

パーカにくるまって厳しい寒さに震えながら、ヴィゴーは四輪バギーを操縦していた。湖岸沿いのカラマツの林を抜ける砂地の道には茶色の針葉が積もっていて、葉の落ちた枝の間から日の出前の空が見える。太陽はまだ地平線から姿を見せていないが、東の空はすでに白み始めている。

道は大きな弧を描いた砂浜に通じていた。砂浜はうっすらと雪に覆われ、凍結した氷が湖岸から湾内に広がっている。波の力で砕けた氷の一部が、湖面から膝くらいの高さまで突き出していた。まるで青いガラスの破片のようだ。

氷が途切れた先に見える早朝の湖面は、藍色の輝きを帯びている。透明度の高い湖水は、生で飲んでも健康に問題なさそうに見える。地元の言い伝えによると、この湖で泳げば寿命が五年延びるとされている。

〈それが本当なら、寒さなど気にせずに今すぐ飛び込んでいるだろう〉ヴィゴーは思った。

それでも、ようやくレイチェルに癌という真実を伝えることができたので、ヴィゴーの心は晴れていた。伝えなければいけない言葉を、今までずっと一人で抱え込んでいた。それを自分の口で説明することができたのだ。ヴィゴーは死を恐れてはいなかった。それよりも、これからレイチェルと一緒に過ごすはずの年月を――彼女が成長し、結婚し、母親となり、子供たちが大きくなる、その時間を共有できないことの方を恐れていた。

多くのことを見届けられずに終わる。

けれども、彼女が自分にとってどれほど大切な存在かを伝えることはできた。

〈神よ、そのささやかな恵みに感謝を捧げます〉

前方に目を向けると、左右にハンドルを切ったり車体をスキッドさせたりしながら、コワルスキが四輪バギーを運転している。横転させずにどこまで無謀な運転ができるか、試しているかのようなハンドルさばきだ。若者は死を身近な存在として意識していない。あんな無茶をしても、自分だけは大丈夫だと思っている。年齢を重ねるにつれて、そんな自信も薄れていく。けれども、本当に強い人間は、死を意識したとしてもなお、前に向かって進み続ける――いや、死を意識するからこそ、いつか終わりが来るとわかっているからこそ、一日一日を大切にし、精いっぱい生きていくのだ。

砂浜に行き着くと、グレイがスピードを落として隣に並んだため、物思いにふけっていたヴィゴーは現実に引き戻された。グレイは氷原から空に向かって高く突き出した大きな岩を指差している。

「あれがブルハン岬ですか？」グレイが訊ねた。

ブルハン岬は「シャーマンの岩」とも呼ばれる。ブリヤート人の神「テングリ」が住む場所と言われ、アジアの十大聖地の一つに数えられている。

ヴィゴーはうなずいた。湖から吹きつける風に負けじと、大きな声で説明する。「儀式用の洞窟はここから見える側とは反対の、湖に面した側に位置している。そこでシャーマンと面会する。この砂浜の先に湖岸から岬に通じる狭い地峡があるはずだ」

グレイがうなずいて四輪バギーの速度を上げ、乱暴な運転を続けるコワルスキを注意した。三人は湖岸に沿って湾の先に進み、凍結した湖面を貫く狭い陸地の部分に四輪バギーを乗り入れた。その先に見えるごつごつとした白い断崖は、赤っぽい色の地衣類で覆われている。

地峡の先に小さな人影が立ち、岬への入口を守っていた。痩せた若者で、帯で留めた青いデールの上に丈の長いシープスキンのコートを着ている。肩には動物の革で作った太鼓が掛かっていた。若者はバギーを停めてエンジンを切るように手で合図した。騒音に顔をしかめている。かつてここを訪れた人々は、岬の神を妨げないように、馬の蹄を革で覆っていたそうだ。

「私の名前はテムールと申します」若者はかしこまった調子の英語で自己紹介をすると、軽くお辞儀をした。「長老のバヤンのところにお連れいたします。皆さんをお待ちになっておられます」

若者の後について、三人は岩の間を縫う狭い通路を進み、断崖を削って造ったと思われる段を上った。ヴィゴーのバギーの後部に積まれていたダッフルバッグは、コワルスキが担いでいる。足もとは氷に覆われていて滑りやすい。頭上に目を向けると、湖に面した側に大きな洞窟が口を開けている。

断崖を登り切って洞窟の入口に達した頃には、ヴィゴーはすっかり息を切らしていた。入口の両側には二本の石柱がある。石柱に巻かれた色鮮やかな布地や旗が、湖から絶え間なく吹きつける風を受けてはためいている。石柱の間にしわだらけの老人がひざまずいていた。外見からだけでは年齢はわからない。六十歳かもしれないし、百歳を超えているように思えなくもない。若者と同じ服装だが、頭には先端のとがった帽子をかぶっている。老人はひざまずいたまま、乾燥したネズの枝を火にくべていた。香りのある煙が立ち昇り、洞窟内を満たしている。

その先に目を向けると、洞窟が岬の奥に向かって延びている。だが、ヴァチカンの影響力をもってしてもこの奥に立ち入るのは無理なのではないか、ヴィゴーはそんな気がした。

「長老は皆さんも自分の両側にひざまずき、湖の方に顔を向けてほしいとおっしゃっています」

グレイが指示に従うように合図した。

ヴィゴーが片側に、グレイとコワルスキがもう片方の側にひざまずいた。煙が目にしみるが、不思議な甘い香りが鼻をくすぐる。テムールがゆっくりと太鼓を叩き始めた。その音に合わせて、長老が火のついたネズの枝を振り、祈りの言葉を唱える。

洞窟の入口の向こうに見える湖が、次第に明るくなり始めた。湖面が濃い藍色から空色に変化する。氷がコバルトブルーやサファイアブルーなどの様々な色合いに輝く。次の瞬間、水と氷の上を赤い炎が走った。地平線から太陽が顔をのぞかせた合図だ。赤い光が融けた金のように湖面を広がっていく。

ヴィゴーはその光景に思わず小さな声を漏らした。この目で見る機会を与えられたことに対して、感謝の念に包まれる。荘厳な景色を前にして、ほんの一瞬だが風すらもやんだような気がする。

最後に大きな太鼓の音が鳴り響くと、テムールが三人の顔を見た。「儀式は終わりました。長老とお話をされてもけっこうです」

長老が立ち上がり、三人にも立つように手で促す。

正式な清めを受けたヴィゴーは、立ち上がるとバヤンに向かって頭を下げた。「我々と会ってくださったことに感謝いたします。一刻を争う問題を抱えておりまして、オリホン島のことを最もよく知る方にお話をうかがいたいのです」

テムールがヴィゴーの言葉を通訳しながらバヤンの耳元にささやいた。

「何を知りたいのですか？」若者が長老に代わって訊ねた。

ヴィゴーはグレイの方を向いた。「遺物を出してもらえないかね？」

コワルスキからダッフルバッグを受け取ると、グレイはジッパーを開き、中から慎重に遺物を取り出した。頭蓋骨と本を置き、その隣に黒ずんだ銀の箱を並べる。グレイは箱のふたも開き、中の船を見せた。

長老の反応はかすかに目を見開いただけだった。

「これはいったい何ですか？」テムールが訊ねたが、長老の言葉を訳したのではなく、自らの好奇心から出た質問だろう。

長老は前に進み出ると、再び小声で祈りの言葉を唱えながら、手のひらをそれぞれの遺物の上にかざした。

ようやく長老が口を開いた。テムールが通訳する。「古い力だが、知らない力ではない」

ヴィゴーはバヤンのしわだらけになった両手を見つめた。

〈ダンカンと同じようにエネルギーを感じたのだろうか？〉

長老は頭蓋骨の上に手のひらを添えた。

「あなたたちが何を求めているかはわかっている」テムールがバヤンに代わって続けた。「しかし、そこへ立ち入るのは大きな危険を伴う」

「我々は臆することなくその危険に立ち向かうつもりです」ヴィゴーは答えた。

テムールがヴィゴーの言葉を通訳すると、バヤンの表情が曇った。「いや、あなたは違う」

テムールはヴィゴーの顔だけを見つめた。「長老はこう言っています。あなたは今も大いに苦しんでいるが、さらなる苦しみを味わうだろうと」

不安が全身を包み込む。ヴィゴーはグレイに視線を向けた。

テムールの話は続いている。「あなたたちが求めているものまで、私が案内します」

大いに喜ぶべき申し出だった。しかし、ヴィゴーは寒気が募る一方だった。長老の視線はヴィゴーに向けられたままだ。その年老いた顔は、悲しみに包まれている。

ヴィゴーはすでに死を避けられないものとして受け入れていた。けれども、この数カ月で初めて、ヴィゴーは来たるべき運命に恐怖を覚えた。

午前八時七分

レイチェルは建物の裏手にある馬小屋の中を歩いていた。パーカのジッパーは下ろしてある。朝食後、散歩をするつもりでいた。落ち着かない気持ちを静めながら、おじのことを一人で考えたかったからだ。

おじの病気に対してあれこれ口出しをしたくなる気持ちは抑えなければならない。それでも、頭の中で勝手にリストができあがっていく。どの医者に電話をかけるか、どの病院に相談するか、どの試験療法に登録するか。けれども、それが意味のないことだとは理解している。おじはすでにすべてを受け入れている。自分もそうしなければならない。

そうは思うものの、静かな宿の中でじっと座っているのは耐えられなかった。それに、グレイの部屋から一緒に出てくるのを見たばかりのセイチャンと、どんな話をしたらいいのかもわからなかった。あまりにも気まずすぎる。そのため、散歩に出かけたのだった。けれども、レイチェルは寒さに負けてすぐに引き返してきた。強い寒風で鼻先の感覚がなくなってきたし、頬もひりひりする。

だが、すぐに宿の中には戻らず、馬小屋に入って冷たい風をしのぐことにした。薄暗い内部は馬の熱のおかげで暖かい。突然の侵入者に、馬が鳴き声をあげる。干し草やこやしや濃厚な汗のにおいを嗅ぎながら、レイチェルは馬小屋の中を歩いた。柵越しに牝馬のやわらかな鼻をなで、別の馬に一つかみの餌を与える。

十分に体が温まってから、レイチェルは馬小屋の入口に戻った。扉を開けると突き刺すような冷たい風が吹き込む。

レイチェルは風に向かって体を折り曲げながら、宿の方へ歩き始めた。

「バン」という大きな音を耳にして、レイチェルは顔を上げた。風の中に音がこだまする。風に揺れるシャッターが何かにぶつかったかのような音だ。同じような音がさらに続く。

〈銃声だ〉

レイチェルは立ち止まった。〈どういうこと？〉——その時、背後から一本の腕が絡みつき、レイチェルの喉を締め上げた。

こめかみに冷たい銃口が突きつけられた。

午前八時十分

反応する時間はほんの一瞬しかなかった。

周囲に順応していたセイチャンは、少し前に違和感を覚えた。朝食をすませて部屋に戻って以降、セイチャンは静かな宿のリズムを学習していた。階下から聞こえる主人夫婦の話し声、フライパンを使う音、軒下を吹き抜ける風の調べ。扉が開閉する音も耳にした。夫婦のどちらかがごみを外に出したのだろう。少し前には、村を散策すると言い残してレイチェルが出ていったばかりだ。

三十秒ほど前に扉が開いた時、セイチャンはレイチェルが戻ってきたのだろうと思った。だが、それと同時に階下から聞こえる物音がぴたりとやんだ。皿が一枚、木製の床に落ちる音を除いて。

セイチャンは息を潜め、筋肉に力を込め、五感を研ぎ澄ました。空中を舞う塵までもが、固唾をのんで次の動きを待っているかのように感じる。

階段のきしむ音が聞こえ――

セイチャンは行動に移った。ナイトテーブルの上に置いてあったシグ・ザウエルをホルスターごとつかむ。扉から飛び出し、半自動小銃を取り出し、ホルスターを捨てる。階段とは反対の方向へ、廊下の突き当たりにある窓を目指す。銃口を後方に向けると、階段を上る影が壁に映っている。不自然なまでに慎重な動きだ。次の瞬間、人影が見えた。冬用の迷彩服姿だ。セイチャンは後方に二発発砲すると同時にジャンプし、窓に肩から突っ込んだ。背後から悲鳴が聞こえる。銃弾は男の腕に当たっただけだが、窓から外に飛び出すだけの時間を稼ぐことができた。ガラスと木の破片が飛び散る。セイチャンは一階部分のひさしの上に落下し、勢いをつけたまま転がり落ちた。

空中で体をひねり、両足で着地する。バランスを崩しかけたが、片手を地面に突いて体を支える。もう片方の手に握られた拳銃を周囲に向ける。ここは宿の裏手に当たる。小さな庭を挟んだ先に森がある。セイチャンは森に向かって走り出した――だが、木々の間から同じ迷彩服を着た男たちの一団が現れた。全員が武装している。

セイチャンは目標を右に変えた。道沿いに深い排水溝があったはずだ。ひとまず身を隠せる場所を確保してから、この宿の周囲に張り巡らされた包囲網を突破するための方法を探さなければならない。

走るセイチャンの後を追うように、凍結した地面に銃弾が食い込む。セイチャンは森に向かって銃を乱射した。この調子なら排水溝までたどり着けるかもしれない。

その時、銃声の合間から聞き覚えのある声が鳴り響いた。

「止まれ！　さもないとこの女を殺すぞ！」

セイチャンは止まらなかった。大きくジャンプし、腹這いの姿勢で排水溝の中に滑り込む。体の下で氷の割れる音がする。セイチャンは大声の聞こえた方に向き直った。深い排水溝の中から外の様子をうかがいながら、拳銃を構える。

庭の奥の馬小屋の脇に、大柄な男がいる。太い腕がレイチェルの喉を締め上げている。レイチェルの隣に立っているのは、ジュロン・デルガド。

その反対側の隣にいるのは、パク・ファン。

北朝鮮の科学者は、レイチェルの耳元に拳銃を突きつけていた。

「今すぐに出てこい！　この女の頭が吹き飛んでもいいのか？」

セイチャンは状況を理解できずにいた。なぜあの二人がここにいるのか？　迷彩服を着ている男たちは、その顔つきから推測する限りでは北朝鮮人、それもおそらく特殊部隊の精鋭たちだろう。だが、パクはどうやって自分を発見したのか？

レイチェルが呼びかけた。「逃げて！　私はいいから逃げて！」

大柄な男がレイチェルの顔を平手打ちした。それでも、レイチェルは男の腕から逃れようと必死にもがき続けている。

自分が逃げようとすれば、やつらはレイチェルを殺すに違いない——しかも、どう見ても逃げ切れるような状況にはない。セイチャンは両手を上げ、排水溝の中から姿を見せた。

「撃つな！」大声で呼びかける。

背後でさらに数人の兵士が、隠れていた場所からまるで幽霊のように姿を現した。セイチャンは相手の人数を数えた。どうやらパクはかなり大人数の襲撃部隊を引き連れてきたらしい。

いったいなぜ？

セイチャンは武器を奪われ、パクのもとに連れていかれた。

セイチャンが近づくと、レイチェルが視線を合わせた。その表情からは恐怖よりも怒りを見て取れる。セイチャンをこんな状況に巻き込んでしまった自分に対して、腹を立てている様子だ。

だが、セイチャンにはレイチェルを責めることなどできなかった。責任はすべて自分にある。氷に覆われたこの島にまで危険を引っ張ってきたのは、自分にほかならない。

レイチェルを押さえつけている大男が襲撃部隊のリーダーに違いない。ミラーサングラスをかけ、フードを目深《まぶか》にかぶっているため、その下はほとんど見えない——だが、わずかにのぞく顔にはいくつもの傷跡があり、表情からも人間味が感じられない。セイチャンはこの男から漂う危険なにおいを嗅ぎ取った。こいつは歴戦の兵士だ。

今度はパクがセイチャンに視線を合わせた。その顔に浮かぶ冷たい笑みは、苦痛と悲しみを予感させる。

「さて、アメリカ人どもがどこにいるのか、教えてもらおうか」

28

十一月二十日　イルクーツク時間午前八時十二分
ロシア　オリホン島

再び四輪バギーのハンドルを握ったグレイは、シャーマンの世話係のテムールを後ろに乗せて先頭を走っていた。ブルハン岬から北を目指し、湖岸沿いの厚い氷の上を走っているところだ。

コワルスキとヴィゴーも、すぐ後ろからそれぞれの四輪バギーでついてくる。日の出とともに急速に明るさが増し、それに合わせて氷がガラスのように透明になる。場所によってはあまりにも透明度が高いため、水の上を走っているのではないかと錯覚してしまうほどだ。乾いた雪や氷の粒が風に吹かれて筋状に氷の上を移動する様は、湖面に白波が立っているかのように見える。

「あそこの岩が崩れたあたりです！」テムールが知らせた。「あと一・五キロくらいです」

その地形を目印代わりに、グレイたちは湖面から突き出ている切り立った断崖沿いを進んだ。崖の上はモミが密生している。島のこのあたりにはほとんど人気《ひとけ》がない。テムールは断崖の近くを進むように指示してから、手をかざして湖岸に目を凝らしている。

「あそこです！」ようやくテムールが叫んだ。「あの開口部から中に入ります！」

グレイの目にも洞窟の入口が見えた。ミニバンくらいなら通れそうな広さがあるが、上から垂れ下がる何本もの巨大なつららが入口をふさいでいる。湖の氷をかみ砕こうと口を開けた怪物の牙のようだ。四輪バギーが一列になって進めば、何とかつららの間を通り抜けることができるだろう。

グレイは速度を落としながら入口に進路を向けた。ヘッドライトを点灯させ、暗い洞窟の中に光を当てる。洞窟内部の表面を覆う白い氷が光を反射し、さらに奥に向かって延びるトンネルを照らし出している。アーチ状の天井部分からは大量のつららが鍾乳石のように垂れ下がっていた。壁面を流れ落ちていた水も凍結していて、透明な筋状のシートに包まれているかのように見える。

「まさかこの中に入るつもりじゃないよな？」コワルスキは気が進まない様子だ。「洞窟だけでも嫌なのに、氷の洞窟だなんて……」

その質問に対する答えとして、グレイはいちばん手前の列のつららに頭をぶつけないように注意しながら、ヘッドライトの光を追ってゆっくりと洞窟内に四輪バギーを乗り入れた。

洞窟内にはさらに神秘的な光景が広がっていた。タイヤの下の氷は透明で、そのさらに下の湖底の岩に生えた苔まで確認できる。氷の下の水中を泳ぐ魚の姿も見える。

「かなり奥まで続いているようだ！」グレイは外の二人に呼びかけた。

グレイはテムールの指示に従って洞窟を奥へと進んだ。トンネルは次第に大きくなり、左右の幅が広がるとともに、天井も高くなる。三十メートルほど進むと、氷の大聖堂さながらの広大な空間で洞窟は終わっていた。天井には青白い氷のシャンデリアが無数に輝き、空間内にはダイヤモンドのような透明な柱が何本もそびえている。

一行が四輪バギーを乗り入れると、その重みで足もとの氷がうめき声をあげ、大きな音とともにひびが入った。その音が周囲の氷の壁に反響してこだまする。もろくなった氷のシャンデリアの一部が剝がれ、床に落下した。粉々に砕けた破片がきらめきながら床の上を散っていく。

空間の奥の壁面には、層状に固まった氷の厚いカーテンが形成されていた。滝となって流れ落ちる湧き水が凍結したものだ。その表面を今も伝う小さな流れで、氷は水晶のような輝きを発している。だが、その流れも下にたどり着く頃には凍ってしまっている。

床の中央付近に目を戻すと、真っ白な世界の中に色の濃い部分がある。氷の下の湖水に通じている穴だ。穴の周囲には汚れが目立ち、削られて小さな滑り台のような斜面になっている箇所もある。

ここに入った時、グレイは茶色い動物がそんな斜面の一つを滑って穴の下に消えるのを目撃していた。あれはバイカル湖で最も有名な哺乳類であるバイカルアザラシの呼吸穴に違いない。

これ以上は先に進めないため、グレイは四輪バギーを停止させた。コワルスキとヴィゴーのバギーもグレイの両隣に並ぶ。

「ここはどこなんだ？」コワルスキが訊ねた。

「バイカルアザラシが子供を産む場所です」テムールが答えた。「寒さの厳しい冬でも、ここなら子供のアザラシが危険にさらされる心配はありません。ここは我々にとって非常に特別な場所です。我々は寒さに強いあの高貴な動物の魂から生まれたという言い伝えもあります」

「でも、どうして俺たちをここに連れてきたんだ？」グレイは周囲を見回しながら訊ねた。冬のバイカル湖の自然を満喫できるツアーを楽しむような気分ではないし、そんな時間もない。

「長老のバヤンから、あなた方をこの洞窟にお連れするように言われたからです」テムールは答えた。「私が知っているのはそこまでです。そのように依頼された理由まではわかりません」

グレイはヴィゴーの顔を見たが、そこにも当惑の表情が浮かんでいる。

「きっとあのじいさんはアザラシが大好きなんだぜ」コワルスキがつぶやいた。

「あるいは、テストなのかもしれない」ヴィゴーが言った。「チンギス・ハンの遺物が置かれていた場所は、どこもしっかりと隠されていて、ここのように陸と水が接するところにあった。けれども、これまでの二カ所を振り返ると、ハンガリーの場合は旱魃のおかげで、アラル海の場合は環境の激変で干上がってしまったために、遺物は比較的容易に発見することができた」

「でも、この地域は何万年も前から変わっていません」グレイは応じた。「ここではそう簡単に見つかりそうにないですね」

「そのようだな」

グレイは氷に覆われた空間内を見回した。心を落ち着かせようとするうちに、一つの事実に思い当たる。あのシャーマンは何の情報もなしに自分たちをここへと向かわせたわけではない。グレイはバヤンがテムールに対してこの場所を指示した時のことを思い返した。短い言葉で伝えただけだったが、テムールはどこに行けばいいか正確に理解していた。その理由として考えられるのは一つしかない。

「テムール、この場所には名前があるのかい？」

若者はうなずいた。「私たちの言葉では『エメグテイ』と呼ばれています。『女性のおなか』の意味です」そう答えながら、テムールは手で腹部がふくらんでいる様子を示した。

「子宮か……」グレイはつぶやいた。

「ええ、そうです」そう言うと同時に、テムールはお辞儀をして後ずさりした。「探し物が見つかることを願っています。私はこれで失礼させてもらいます」

「ブルハン岬までバギーで送るよ」グレイはコワルスキに合図をしながら申し出た。

テムールは首を横に振った。「その必要はありません。家はここからそれほど遠くないですから」

テムールが立ち去ると、ヴィゴーが呼吸穴を指差してグレイの注意を促した。「子宮だ。納得のいく名前じゃないかね。ここは島の聖なる動物の出産場所なのだから」

グレイはかぶりを振った。ヴィゴーの意見を否定しているのではない。むしろ、まったく異論はなかった。ただし、見方を変える必要がある。「ヴィゴー、オリホン島はチンギス・ハンの母親の出身地だという話ではありませんでしたか?」

ヴィゴーは目を大きく見開いた。「そういうことか!」

「つまり、この神聖な場所はチンギスの生誕を象徴する場所として選ばれたのではないかと思います」

凍結した壁面を見ながらコワルスキが顔をしかめた。「そうだとしたら、チンギス・ハンの母親はこんな寒いところで子作りに励んで――」

グレイはコワルスキの言葉を遮った。「ここに間違いありません」

「しかし、今の話がどう手がかりになるのだろうか?」ヴィゴーが訊ねた。

グレイは目を閉じた。この空間が子宮だと考える。湖に通じる洞窟は、命が外の世界に出るための産道だ。

〈けれども、命は子宮の中で始まるのではない……〉

さらなる源が存在する。

ヴィゴーの話によれば、チンギス・ハンは当時としては先進的な考え方の持ち主だったという。精子と卵子の受精という概念までは持っていなかっただろうが、その頃の科学者たちは人体の構造についてかなりのところまで理解していたはずだ。

グレイは四輪バギーを降り、バックパックの中から懐中電灯を取り出すと、空間内を奥に向かって歩き始めた。氷に注意し、呼吸穴には近寄らないようにする。グレイは懐中電灯の光を奥の壁に向け、凍結した滝を上にたどった。小さな水の流れが氷の上を伝って落ちている。

グレイは八メートルほど頭上に流れの源を発見した。別のトンネルが口を開けている。暗い入口は湧き水の流れが凍結して半分ほどふさがれてしまっていた。

グレイの後についてきたヴィゴーも理解した。「女性の卵管《らんかん》の象徴だ」

〈そこを通って命が子宮に流れ着く〉

「ハーケンなどの登山道具はバックパックの中に入っています」グレイは伝えた。「滝を登ればトンネルに入れますよ」

振り返ったグレイは、ヴィゴーの目に期待の光が輝いていることに気づいた。安心させるために、肩をぽんと叩く。「心配はいりません。上に着いたらザイルを固定します。一緒に中に入りましょう」

二人は急いで四輪バギーに戻り、必要な装備の用意を始めた。

ヴィゴーは寒さに震えながら、その場で足踏みをしている。だが、トンネルを見つめるその瞳からは、少年のような興奮が伝わってくる。「あの通路は季節によってはふさがれているに違いない」

グレイは顔をしかめた。「どういう意味ですか？」

「春や夏にはあの穴から大量の湧き水が流れ出ているだろうから、中に入ることも奥に進むことも不可能だ。流れが凍結する冬の間だけは、トンネルが開いて通行可能になるのだよ」

グレイは作業の手を止めてヴィゴーの意見に考えを巡らせた。「意図的にそうしたのでは？頭蓋骨に記されていた世界の終わりの日付は十一月、つまり冬じゃないですか」

ヴィゴーが大きくうなずいた。「立ち入りを制限しようとしていたのかもしれない。必要となる季節以外は、中にある財宝に近づけないようにするためだ」

靴底に爪の付いたアイゼンを装着すると、グレイは立ち上がった。肩にザイルを掛け、手にハーネスを持ち、ハーケンとピッケルも用意する。

〈確かめるための方法は一つしかない〉

午前八時三十二分

ヴィゴーは氷壁を登攀《とうはん》するグレイの姿を見つめていた。喉を手で押さえ、固唾をのんで見

守っている自分にふと気づく。〈気をつけるんだぞ……〉

グレイも無理をせずに登っている様子だ。事故を起こしたり落下したりしたら間に合わなくなる。氷の裂け目にハーケンを慎重に打ち込み、深く固定する。四本の手足のうちの二本以上を氷壁から離さないようにしながら、グレイは着実に凍結した滝を登り、ザイルを通していく。

四分の三ほど登った地点で、グレイは上に手を伸ばし、ピッケルで叩いて氷の裂け目の強度を調べた――次の瞬間、その周囲の氷が壁面から剝落《はくらく》した。まるで氷河が分離したかのように、氷が割れて落下し、空間内に響き渡る大音響とともに粉々に砕け散る。割れた氷のかけらは四輪バギーの近くにまで転がっていった。

バランスを失ったグレイがいちばん上のハーケンのところまで落下した。ザイル一本でぶら下がる格好になったものの、ハーケンは持ちこたえた。グレイは再び両足を壁面に預け、今まで以上に慎重に壁面を登り始めた。ようやく氷壁の上端に手が届く。グレイはピッケルを使い、アイゼンを氷に食い込ませて体を引き上げ、凍結したトンネルの中に姿を消した。

その直後、トンネル内に光がともると、凍結した滝は縞模様の入った青いガラスに一変した。トンネルの入口から顔を出したグレイが懐中電灯を大きく振った。

「通路は奥に続いています！」グレイが下に向かって叫んだ。「これからザイルを固定します！　コワルスキ、ヴィゴーにハーネスを着けてあげてくれ！」

グレイは手際よくトンネルの天井部分にハーケンを打ち込み、そこにザイルを通した。コワルスキがザイルの一方の端にヴィゴーをつなぎ、もう片方の端を力強く引っ張る。ヴィゴーもハーケンを足で押したり手でつかんだりしたものの、コワルスキ一人の力で滝の上にまで引き上げてもらったようなものだった。

ほとんど力を使うことなく、ヴィゴーは気がつくとトンネル内のグレイの隣で腹這いになっていた。トンネルの奥に目を向ける。サファイアブルーの水晶を彫り抜いて造った通路のようだ。

「行きましょう」グレイは声をかけると、這ったまま進み始めた。「後についてきてください」

トンネルは緩やかな上りになっているため、氷の上を進むには危険を伴う。しかも、冷たい水が絶えず流れているために、表面がいっそう滑りやすくなっている。ほんのわずかなミスでも、体ごとトンネルを滑り下りて外に飛び出してしまうだろう。

十五メートルほど奥に進むと、トンネルの床に凍った氷が厚くなったため、完全に腹這いの姿勢にならなければいけなくなった。グレイは虫のように体をくねらせながら隙間を通り抜けていく。ヴィゴーは通路が狭くなる手前で止まった。急に圧迫感を覚える。

グレイの声が聞こえた。「そこを抜ければトンネルは終わりです！　これはすごい！」

興奮した口調の声に後押しされて、ヴィゴーもグレイの動きを真似ながら隙間に体を潜り込ませた。先が見えてきたと思ったら、力強い手が手首をつかみ、コルク栓を引き抜くかのようにトンネルから引っ張り出してくれた。

目の前には別の空間が広がっていた。足もとには凍結した池がある。池のほとりの左側は傾斜の急な断崖になっている。高さは四メートルほどあるだろうか。グレイの持つ懐中電灯の光が、はるか昔に岩盤に彫られた階段を照らしている。崖の上に通じているようだ。

「さあ」グレイが促した。

二人は注意深く階段を上った。グレイが足場の上に厚く張った氷をピッケルで砕いてくれる。ようやく二人は崖の上に達した。

先に到達したグレイが手を差し出したが、ヴィゴーはその手を無視して崖の上に立ち、奥の壁面を見つめた。薄く張った青白い氷の下に、アーチ状の黒い扉が見える。

ヴィゴーはグレイの腕を握り締めた。隣にいるグレイを本物だと確認しないことには、自分の目に映るものも本物だとは信じられない。「チンギス・ハンの陵墓への入口だ」

午後八時四十八分

グレイには死者に敬意を払ったり発見の喜びに浸ったりしている余裕などなかった。鋼鉄製のピッケルの柄の部分を使い、入口の扉を覆う氷の膜を剝がす作業に取り掛かる。叩くたびに大きな氷の塊が剝がれ落ち、柄が扉に当たると大きな音が鳴り響く。音からすると扉は金属でできているようだ。一分もしないうちに、扉を覆っていた氷はきれいに剝がれた。

アーチ状の扉はグレイの頭くらいの高さまでしかない。

グレイが蝶番にこびりついた氷を落としている間に、ヴィゴーがうやうやしく扉に触れた。自分の懐中電灯を取り出し、グレイのピッケルが金属製の扉に傷をつけた箇所に光を当てている。

「黒ずみの下は銀だ！」ヴィゴーが叫んだ。「骨でできた船が収められていた箱と同じだ。だが、扉が深くえぐられたところをよく見ると、金属の下に割れた木がある。銀は木材の表面に貼ってあるだけだ。それでも……」

ヴィゴーの瞳が明るく輝いている。

蝶番の氷を落とし終えると、グレイは両開きの扉を閉ざしていたかんぬきを外した。扉を引き開ける役割はヴィゴーに譲る。

大きく深呼吸をしてから、ヴィゴーは取っ手を握り、強く引っ張った。蝶番の隙間に残っていた氷がこすれる音とともに、二枚の扉が大きく開く。

扉の奥の光景に、ヴィゴーが後ずさりする。

二人が期待していたものとは違った。

室内にはほとんど何もなかったが、驚くべき光景に変わりはない。

扉の先には金色に輝く円形の部屋があった。床も、天井も、壁も、すべてがやや赤みを帯びた黄色い金属で覆われている。扉の内側までも、銀ではなく金が貼ってある。

ヴィゴーが入るのを待ってから、グレイも室内に足を踏み入れた。

どこを見回しても、金には熟練した職人の手による細工が施されていた。天井には何本もの金の梁が彫られていて、壁面との境目を成す金の輪につながっている。壁にも金の柱が刻まれていた。内部の装飾が何を意図しているかは一目瞭然だ。

「黄金の住居」グレイはつぶやいた。「モンゴルのゲルだ」

ヴィゴーはアーチ状の入口を振り返った。「扉を閉じると半円のドームになる。ここは使徒トマスの遺物が収められていた三つ目の箱を模しているのだよ」

グレイは頭蓋骨と本が鉄の箱に、船が銀の箱に収められていたことを思い返した。そして今、金でできた最後の箱の中に立っている。

ヴィゴーは部屋の中央に進むのをためらうかのように、右手へと移動した。「壁を見たまえ」

黄金の柱のそれぞれには、宝石をはめ込んだ燭台《しょくだい》が取り付けられている。そのうちの一つに手を伸ばしたグレイは、それが燭台ではなく王冠だということに気づいた。円形の室内を見回す。柱に付いているのはすべて王冠だ。

「チンギス・ハンが征服した王国のものだ」ヴィゴーが言った。「しかし、ここはチンギス・ハンの陵墓ではない」

グレイも扉が開いた時点でそのことに気づいていた。ここは当時の富や財宝であふれた広々とした墓地ではない。財宝を埋め込んだチンギスやその子孫の墓石も見当たらない。チンギスの陵墓は今もなおどこかに、おそらくモンゴルの山間部のどこかに、ひっそりと眠っているのだろう。

ヴィゴーが押し殺した声を発した。「数々の王冠は、この部屋で眠る者をたたえるために置かれているのだよ」

ヴィゴーは壁に沿って室内を歩き始めた。部屋の中央に向かう勇気をまだ奮い起こすことができずにいるようだ。ヴィゴーが柱の間の壁に残された芸術作品を指差した。まばゆい輝きを放つ表面には、いくつもの大作が彫られている。明らかに中国風の様式だ。

「宋の時代には、墓に眠る人の生涯をそこに描く習慣があった」ヴィゴーが説明した。「ここも例外ではないようだ」

グレイは扉の右手に描かれた最初の作品に目を留めた。三つの十字架に囲まれた山があり、荒れた空の下で涙を流しながら山腹を下る人々の列が描かれている。

その次の作品では、ひざまずいた一人の男性が、頭上に浮かぶ別の男性の傷ついた脇腹に手を差し出している。

そこからは同じ男性が長く苦しい旅をする場面が続き、竜をはじめとする中国の伝説上の怪物が苦難の象徴として描かれている。やがて男性は大きな波が押し寄せる海辺にたどり着いた。大勢の人々が男性を迎えていて、旗を手にしている人もいれば、喜びや啓蒙《けいもう》の象徴を掲げている人もいる。

「これは使徒トマスの生涯だ」壁に沿って室内を回りながら、ヴィゴーが断言した。「彼が中国を経て黄海にまで到達したという証拠だよ」

しかし、トマスの物語はそこで終わりではなかった。

室内を一周したヴィゴーが、最後の作品の前で足を止めた。

そこには巨人のような体型をした中国の王が、男性に大きな十字架を手渡す場面が描かれている。王の肩の上には、三日月と無数の星が輝く夜空に、彗星が尾を引いていた。

使徒トマスへの贈り物だ。

ヴィゴーがほとんど何も置かれていない室内に向き直った。この黄金のゲルの内部にあるのは、中央の石柱だけだ。シャーマンの洞窟の入口の両脇にあった柱に似ていなくもない。

だが、ここの石柱の上には質素な造りの黒い箱が置かれている。

ヴィゴーがグレイに視線を向けた。許可を求めているのだろう。

グレイはヴィゴーの皮膚が黄色みを帯びていることに気づいた。だが、その色は室内の金を反射しているせいだけではない。黄疸《おうだん》の症状だ。

「どうぞ」グレイはそっと告げた。

午後八時五十六分

ヴィゴーは石柱に、その上にある箱に歩み寄った。畏敬《いけい》の念のせいで足が思うように動かない。今にもバランスを崩して倒れてしまいそうだ。

〈ひざまずいて近づくべきなのかもしれない〉

だが、ヴィゴーは立った姿勢のまま、石柱のもとに到達した。石柱の上の箱は黒っぽい鉄でできているようだが、ほとんど錆びていない様子からすると、複数の金属が混ざっているのだろう。箱の表面には漢字が刻まれている。

木木

イルディコが書き残した通りだ。

ヴィゴーは震える指でふたを開けた。蝶番がかすかな音を発する。中には二つ目の箱がある。

最初の箱と同じように黒っぽい色をしているが、年月を経た黒ずみの下は銀に違いない。ここにも漢字が刻まれていた。

示

ヴィゴーは二つ目のふたを開けた——その下にある最後の金の箱があらわになる。金は昔と変わらぬまばゆい輝きを放っている。ふたには唯一の装飾となる最後の文字が記されていた。

禁

ヴィゴーは固唾をのんだ。人差し指の先端を使って最後のふたを開ける。

この栄誉を与えられたことに対して、心の中で感謝の祈りを捧げながら。

金の箱の中には、短い数本の金の柱に支えられて、黄色く変色した頭蓋骨が収められていた。うつろな眼窩《がんか》がヴィゴーのことを見つめている。螺旋《らせん》状に記されたアラム語の文字をかすかに読み取ることができる。

使徒トマスの頭蓋骨だ。

ヴィゴーはその場に倒れ込みそうになった。だが、脚が震えていることに気づいたグレイが、腕を差し出して支えてくれた。まだやらなければならないことがある。

目を涙で潤ませながら、ヴィゴーは遺物に手を伸ばした。ヴィゴーはキリストの使徒の中でほかの誰よりもトマスを敬愛している。ヴィゴーにとって、トマスの疑い深さこそが人間らしさであり、そのおかげでより身近に感じることができたのだった。それは信仰と理性との間の葛藤《かっとう》でもあった。トマスは疑問を投げかけ、証拠を求めた。彼は当時の科学者であり、真実を追求する人間だったのだ。トマスによる福音書においても、組織化された宗教は否定されており、救済への道は、すなわち神への道は、その意思のある者すべてに対して開かれていると説いている。

〈訊ねよ、さらば見出さん〉

この数日間、自分たちもそうしていたのではないだろうか？

「我々は使徒トマスの墓を発見したのだ」ヴィゴーの言葉は畏敬の念と涙で震えていた。「ネストリウス派の信者に説得され、さらにはイルディコの遺書を読んだことで、チンギス・ハンはトマスを祀《まつ》るこの廟《びょう》の建立《こんりゅう》を認めたに違いない。だからトマスによる福音書がハンガリーに残されていたのだ。あれはこの墓を発見するようにという招待状だったのだよ。最初の場所にはトマスの言葉が保存されていた——この最後の場所は、彼の体と遺物を保存するために造られたのだ」

ヴィゴーは意を決して聖なる頭蓋骨に指を触れると、金の箱の中から頭蓋骨を持ち上げた。ヴィゴーが使徒トマスの遺物を手のひらで抱え上げると、肩越しにのぞき込んだグレイが箱の中に懐中電灯の光を向けた。

箱の底には金の台が彫られていて、その上に黒い十字架が収められていた。金属製で、かなり重量がありそうだ。手のひらを広げたくらいの大きさがある。

「使徒トマスの十字架だ」グレイがつぶやいた。「でも、確かなのですか？」

差し迫った状況に置かれているにもかかわらず、ヴィゴーは思わず笑みを浮かべた。

ヴィゴーは疑いを抱いていないが、グレイは証拠を必要としている。

「ダンカンならわかるはずだ」ヴィゴーは答えた。

グレイが腕時計に目を落とした。「あと一時間しかありません。彼らの状況を確認してこないと」

「行きたまえ」ヴィゴーは告げた。「私はここで待っているから」

ヴィゴーの肩を強く握ってから、グレイはすぐに部屋を出ていった。

グレイの姿が見えなくなると、ヴィゴーは使徒トマスの遺物を抱えたまま両膝を突いた。

〈主よ、この瞬間に立ち会わせてくださったことを感謝いたします〉

神への感謝の気持ちに包まれながらも、ヴィゴーの心から一抹の恐怖が消えることはなかった。自分を見つめるシャーマンの瞳が脳裏から消えない——彼の警告の言葉も。

〈あなたは今も大いに苦しんでいるが、さらなる苦しみを味わうだろう〉

午前九時四分

グレイは四輪バギーをスキッドさせながら、トンネルの中から朝の陽光の下に飛び出した。バギーは氷の上で一回転してから停止した。一分たりとも時間を無駄にできない状況だが、衛星電話は洞窟の外に出なければ通じない。

グレイはモンクの電話番号を押した。すぐに相手が出る。

「どこにいる?」グレイは訊ねた。

「バスの中だ。氷の上を横断中。もうすぐ島に到着する」

グレイはうめき声が出そうになるのをこらえた。モンクたちは予定よりも遅れている。

「真っ直ぐここに来てもらいたい。すぐにセイチャンにも電話して、同じように伝えるつもりだ。今いるのはブルハン岬から北に約五キロの湖岸沿いにある洞窟の外だ。目印の代わりに四輪バギーを入口の外の氷の上に置いておくよ」

「十字架は見つけたのか？」モンクが訊ねた。

そう言われて初めて、グレイは十字架についてモンクにまだ伝えていなかったことに気づいた。「見つけた。だが、ダンカンに確認してもらう必要がある」

〈それに『目』をここまで持ってきてもらわなければならない〉

電話の向こうで、モンクに話しかけるジェイダの声が聞こえた。「十字架を動かさないように伝えて」

「今のは何の話だ？」グレイは訊ねた。

「彼女に代わるよ。俺はおまえの教えてくれた場所への近道をひねり出さないといけない」

「いったい何をする――？」

だが、すでに電話の相手はモンクからジェイダに代わっていた。「十字架を発見した場所から動かしたりしていないですよね？」ジェイダが訊ねた。怯えたような口調だ。

「ああ、動かしていない」

確証が取れるまでは指一本触れるつもりもない。

「よかった。十字架と彗星との間の量子のもつれを断ち切るためには、十字架を現在の空間座標に保つことが肝心だと考えているんです」

「その理由は？」

「現時点で十字架は地球の時空上のある一点に固定されています。変数は時間だけにとどめておきたいのです。計算式をお見せしてもいいですが――」

「わかった、君の言う通りにする。とにかく、『目』を間に合うようにここへ持ってきてほしい」

「それに関してはモンクが――」

ダンカンの大声がグレイの耳にも聞こえてきた。「僕は知らないですからね！」

電話の向こうが騒がしくなり、悲鳴のような声もする。「何が起きているんだ？」

ジェイダも動揺している様子で、答えを聞かされても向こうの状況はよくわからない。

「そっちに向かっているところです」

そのまま電話が切れた。

グレイはモンクたちが指示通りに動いてくれると信じるしかなかった。すぐにセイチャンに電話を入れる。しばらく呼び出し音が鳴り続けた後、ようやく相手が出た。

「どこにいるの？」セイチャンが訊ねた。怒っているかのような詰問口調だ。

そっけない応対の理由を考える時間の余裕もないため、グレイはセイチャンに居場所と指示を伝えた。「急いでここへ来てくれ」

セイチャンはすぐに電話を切った。グレイの指示に対して「わかった」とも何とも言わない。

グレイは首をかしげながら歩いて洞窟内に戻った。

セイチャンが指示通りに動いてくれると信じるしかない。

29

十一月二十日　イルクーツク時間午前九時六分
ロシア　オリホン島

セイチャンにはどうすればいいのかわからなかった。

目の前にはパクの顔がある。パクの息はタバコくさい。ここに到着してからずっと、吸い続けているからだ。

「何と言ったか教えろ！　やつらはどこにいる？」

パクの手にはセイチャンの携帯電話が握られていた。その背後には北朝鮮の襲撃部隊のリーダーが無表情で立っている。男の名前はリュンだと聞かされた。リュンが握る拳銃の銃口は、依然としてレイチェルの胸に向けられたままだ。パクはセイチャンにグレイの居場所を聞き出させると、すぐに電話を切った。そのため、セイチャンはグレイに警告を与えることができなかったのだ。

二人の北朝鮮人のいらだちは頂点に達しつつある。

パクは憤然とタバコの煙を吐き出しながら、宿の共有部屋の中を歩き回り始めた。ジュロンは暖炉脇にじっと立ったままだ。この状況を楽しんでいるような気配はうかがえない。セイチャンはジュロンが何らかの脅迫を受けているのではないかとの印象を覚えた。ジュロンはマカオの金と地位を生きがいにしている男だ。ここで起きている出来事が彼に利益をもたらすとは思えない。

だからといって、ジュロンが助けてくれるとは期待できない。

レイチェルはセイチャンの向かい側の椅子に縛りつけられている。リュンの部下たちは手慣れた様子で、セイチャンとレイチェルの体の自由を封じた。この状況から脱する秘密の作戦など存在しない。ナイフは隠し持っていないし、椅子を壊す方法も、拘束から逃れる方法もない。

セイチャンは自分たちの置かれた状況の厳しさを理解していた。助かろうと思ったら、パクの慈悲の心に訴えるしかない――だが、この男がそんな感情を持ち合わせているとは思えない。

そのことを認識したセイチャンは、グレイたちがブルハン岬に向かったことをすでに伝えてあった。教えていなければ、レイチェルが撃ち殺されていただろう。それだけは間違いない。キッチンの入口から飛び出している宿の主人夫婦の脚を見ればわかる。片方の靴が脱げた下半身の向こうには、血だまりが広がっている。

そのため、セイチャンはグレイが日の出の時間に岬で面会の約束をしていたことを伝えた。それには時間稼ぎの意味もあった。モンクが宿に到着するまで引き延ばすことができれば、形勢が逆転して助かる可能性も出てくる。少なくとも、その混乱に乗じて脱出できるチャンスが生まれるかもしれない。

セイチャンの告白を受けて、リュンは数人の部下をブルハン岬に向かわせた。三十分後に戻ってきた部下たちは、セイチャンの言葉が正しかったことを報告した。だが、部下たちによる尋問中に、シャーマンは洞窟の入口から逃げ出し、グレイたちがどこに向かったかを明かすことなく、岩場へと身を投げてしまったという。

北朝鮮人たちはセイチャンもグレイの行方を知らないのだということを認めざるをえなかった。ただし、何とかして情報を引き出そうと手を尽くした後でのことだ。レイチェルとセイチャンの手の甲には、火のついたタバコを押しつけられた跡が同じ数だけ残っている。

そんな時にあの電話がかかってきてしまった。

その電話を利用して、パクは最新の情報を入手しようとしたのだった。

「教えてはだめ」裂けた唇を歪めながらレイチェルが訴える。「大変なことになってしまうわ」

セイチャンの時間稼ぎにしびれを切らしたらしく、パクがタバコを捨てて足で火を踏み消した。いらいらと室内を歩き続けるのをやめ、左右の手のひらをこすり合わせながら二人のもとに戻ってくる。その瞳には愉快なことを思い浮かべているかのような色が浮かんでいる。

セイチャンは嫌な予感がした。

「もっと楽しく話を進めようじゃないか」パクが切り出した。

左右の手のひらを離すと、片方に一枚の北朝鮮の銀貨が乗っていた。銀貨の表面には独裁者金正日《キムジョンイル》の笑顔が刻まれている。

「私が賭け事を好む人間だということは知っているはずだ。そこでだ、ちょっとした賭けをしようじゃないか。表が出たら、君の友人を撃ち殺す。裏が出たら、彼女に危害は加えない」

セイチャンは慈悲のかけらもない男の顔をにらみつけた。

「君が教えてくれるまで、何度でもこの硬貨をはじく」パクは続けた。「最初に表が出た時点で、この女の命はなくなる」

リュンがレイチェルの胸元に拳銃の銃口を食い込ませた。

一歩下がってから、パクは硬貨を上に向けてはじいた。宙を舞う硬貨が電灯の光を浴びて銀色に輝く。

セイチャンはあきらめた。これ以上、時間を引き延ばすことはできない。「わかったわ！教えるから！」

「だめよ！」レイチェルが警告した。

硬貨が床に落ちて跳ね返る。パクが硬貨を靴で踏みつけた。その顔には歪んだ笑みが浮かんでいる。この状況を心から楽しんでいるとしか思えない。

「やれやれ、最初から素直になればいいのに」パクがつぶやいた。「教えてもらおうか」

セイチャンはパクに真実を明かした。こうなったら作戦変更だ。これ以上の時間稼ぎが無理ならば、全員を動かす戦法にすべてを賭けるしかない。新たな行動を起こせば、脱出する手立てを見つけられる可能性も出てくるはずだ。

「大変よろしい」パクは満足そうにうなずいた。

硬貨を踏みつけた足が上がる。

床の上では、金正日の太った顔が笑みを浮かべていた。

表だ。

「君の負けのようだ」そう言いながら、パクは部下に合図した。

リュンは一歩下がり、拳銃の狙いを定め、レイチェルの胸を撃ち抜いた。

恐怖と銃声にセイチャンの体がすくんだ。椅子が揺れ、後ろに倒れそうになる。

レイチェルの顔にも驚きの色が浮かんでいた。シャツの下からあふれる血に視線を落とす――顔を上げると、セイチャンと視線が合う。

セイチャンはパクの裏切りに唖然とするばかりだった。

だが、パクは肩をすくめただけだ。セイチャンの反応に驚いているようにすら見える。「賭け事の基本的なルールじゃないか。サイコロが振られた時点で、その賭けは成立するのだ」

向かい側に座るレイチェルの頭が、がくりと前に垂れる。

セイチャンは絶望の底に突き落とされた。

〈私は何てことをしてしまったんだろう〉

午前九時二十分

周囲が冷たい暗闇に包まれていく。

胸に空いたたった一つの穴から体中の力と熱が奪われ、焼けつくような苦痛までも次第に感じなくなる。消え入りそうな息遣いの中で、小さな痛みだけが残っている。体の痛みではない。心の痛みだ。

〈死にたくない……〉

レイチェルはしがみつこうとした。しかし、筋肉や骨で戦うのではない。意志と意識による戦いだ。ほかの人たちが宿を後にする音が聞こえる。息絶えようとする自分を置き去りにして。

〈でも、モンクが来てくれる……〉

レイチェルはその希望にすがった。自分がもう助からないことはわかっている。医学の心得があるモンクであっても、救うことはできない。けれども、レイチェルはある一つの目的のために、次第に小さくなりつつある自分の存在から手を離すまいとした。

みんながどこへ行ったか、モンクに伝えなければ。

〈急いで……〉

暗闇の中に引きずり込まれていく——その時、扉のきしむ音と、駆け寄ってくる足音が聞こえた。その音が、レイチェルをかろうじてつなぎ止めた。

手のひらが膝に触れる。

暗い深みの中に、かすかな言葉が届く。ほとんど聞き取ることができない。けれども、言葉からは強い願いが伝わってくる。

〈どこに?〉

レイチェルは最後にもう一度だけ、大きく息を吸い込み、答えを教えた。唇から出る言葉に希望を託す——自分のためではない。世界のためでもない。

灰色がかった青い瞳が頭に浮かぶ。

やがてその瞳も消えた。

30

十一月二十日　イルクーツク時間午前九時二十二分
ロシア　オリホン島

「無茶ですよ！」ダンカンは叫んだ。

「この方が速い」モンクが答えた。

バスのハンドルを握るモンクが、湖に突き出た岬をよけながら長い車体を疾走させる。ダンカンはその様子を見守ることしかできなかった。モンクがハンドルを切った拍子にバスの後部が大きく振れ、穴釣り用の小屋に接触しそうになる。だが、モンクはかまわずバスを走らせ続けた。

グレイから連絡を受けた後、モンクはバスを乗っ取り、ほかの乗客と運転手を車外に追い出した。その後、モンク自らが運転席に座り、島の南端から凍結した湖を渡って西に向かった。ダンカンの受けた印象では、モンクはこうなる可能性も計算に入れていたらしい。サキュルタでバスに乗り込んでから、モンクはずっと運転手と話をしながら、冬のこの時期の氷の厚さや岸からどのくらいの距離まで氷が張っているのかなど、盛んに質問していたからだ。

「この方が速い」というモンクの説明も確かにうなずける。イルクーツクに着陸後、オリホン島の地図を詳しく調べる時間がたっぷりあった。地図によると、フェリーの桟橋から島内の村の宿までの道はかなり曲がりくねっているため、あまりスピードを出せそうにない。

しかも、島は三日月形をしていて、島の西側は目的地がある島の北部に向かって弓のようにへこんでいる。

そのため、二地点間の最短距離を進もうと思ったら、空を飛ぶ鳥のように——あるいは、この島の場合は湖を泳ぐアザラシのように、一直線のルートを取ればいい。凍結した湖の上を真っ直ぐに走れば、グレイのチームがいる場所まで半分の時間でたどり着くことも不可能ではない。

それはわかっているのだが……

ジェイダを見ると、目を丸くして必死に座席にしがみついている。

車体の下で氷が大きな音を立てる。バスが通過した後の湖面には、いくつもの亀裂が入っていた。島の住民たちが岸に立ち、バスの方を指差している。

岸からかなり距離があるため、氷の厚さに信頼を置けるかどうかは疑わしい。そのため、スピードを落とすわけにはいかなかった。勢いだけで突っ走るしかない。

「あれがきっとブルハン岬だわ！」ジェイダが指差す先には、木々に覆われた湾から突き出た岩の塊のような地形が見える。

　ダンカンは湾に沿って木造の家が建ち並び、小さな村が形成されていることに気づいた。

〈ここがフジュルの村に違いない〉

「あと五キロだ！」モンクが声をあげ、バスの右側の窓を指差した。「グレイは洞窟への入口の目印として、氷の上に四輪バギーを置いておくと言っていた。注意していてくれ！」

　ダンカンが右側に移動すると同時に、モンクがようやくバスの進路を岸の方に向けた。ありがたいことに、岸に近づくにつれて氷の厚みがいくらか増しているようだ。息詰まるような五分間が経過した後、突然ジェイダが叫んだので、ダンカンは思わず座席から腰を浮かせた。

「あそこよ！」ジェイダが大声をあげて指差した。「クマのような形をした大きな岩の隣！」

　丸い耳とずんぐりとした鼻先のような形状の岩は、確かにクマの頭部のように見える。花崗岩のクマの肩の下あたりにある黒い点は、一台の四輪バギーだ。後部座席には小さな旗が翻っている。

「あれに間違いない」モンクが断言した。

　バスが近づくにつれて、断崖に開いた洞窟の入口が見えてきた。巨大なつららが何本も垂れ下がっている。ダンカンは断崖の上の森の中で影が動くのを見たような気がしたが、太陽が島の反対側から昇っているため、森は深い影に包まれたままだ。

　誰かがあの上にいるとしたら、バスに驚いた野次馬が見物でもしているのだろう。

甲高いブレーキ音を響かせながら、モンクがバスのスピードを落とした——正確には、落とそうとした。

だが、バスはスリップして横向きになり、氷の上を滑り続ける。

バスの側面が四輪バギーに激突した。四輪バギーを巻き込んだまま、バスはトンネルの入口へと近づいていく。

断崖が見る見るうちに迫ってくる。ダンカンとジェイダは車内の反対側に避難した。

しかし、次第にスピードが落ち、バスは大きく車体を揺らしながら停止した。洞窟の入口から十メートルほど手前の地点だ。

モンクは手のひらを太腿にこすりつけている。「なかなか見事な縦列駐車だろう?」

ダンカンは顔をしかめた。「今のがですか?」

全員がひとまずバスから降りた。装備を降ろす前に、ここが正しい場所なのかを確認する必要がある。

物音を聞きつけたのか、暗い洞窟の中からグレイが走って近づいてきた。移動手段に使用した乗り物を見て、目を丸くしている。島へ渡る時にグレイもこのバスを使ったはずだが、こんなところで再び出会うとは思ってもいなかったのだろう。

「どうした?」グレイがにやにや笑いながら訊ねた。「タクシーがつかまらなかったのか?」

午前九時二十八分

グレイはモンクと短いハグを交わした。このような状況下であっても、まともではない交通手段で到着したとしても、大の親友と再会できたのはうれしい。

グレイはジェイダと握手をした後、ダンカンを指差した。「この中にある部屋まで『目』を持っていってほしい。奥にコワルスキがいるから案内してもらってくれ。十字架は発見したが、エネルギーを帯びているかどうかは俺たちだけでは判断がつかない」

「私も彼と一緒に行きます」ジェイダが申し出た。彼女の知識は役に立つはずだ。

グレイはうなずいて感謝の意を示しながら、凍結した湖の方に目を凝らした。セイチャンとレイチェルはなぜこんなにも時間がかかっているのだろうか？　二人の方がモンクたちよりも先に到着すると思っていたのだが。

ジェイダがバスの方に戻りかけた。「荷物がまだ車内に――」

甲高い口笛のような音が朝の静けさを切り裂いたかと思うと、巨大な爆発音とともに炎と氷が飛散した。吹き飛ばされたジェイダをダンカンが抱き止める。衝撃で全員の体が浮き上がり、洞窟の奥に飛ばされた。入口のつららが割れ、雨のように降り注ぐ。

仰向けの姿勢で床を滑りながら、グレイはつま先の向こうの状況を確認した。

洞窟の外ではバスの車体が前につんのめるような格好になっていた。フロントグリルを下にして傾き、爆発で窓ガラスが粉々に吹き飛んでいる。車体の下から発生した大きな火の玉が空に舞い上がり、その後を追うように濃い煙が昇っていく。車体の下の厚い氷が割れ、バスは車体の前部から湖に沈み始めた。

ロケット弾の攻撃だ。

〈しかし、誰が……なぜ……？〉

けれども、それよりも大きな疑問が心を占める。「『目』はどこだ？」衝撃で耳がよく聞こえない状態の中、グレイは半ば叫びながら訊ねた。

ダンカンがジェイダを助け起こした。ジェイダは湖に沈みつつあるバスを指差している。

「私のバックパックが……」

まだバスの車内にあるのだ。

「危ないから下がれ！」グレイは洞窟の奥を指差した。

全員が炎と煙の猛威から逃れ、氷と雪が支配する冷たい暗がりに向かった。

トンネルが曲がっている地点までたどり着くと、グレイは後ろを振り返った。凍結した湖面から斜めに突き出したバスの後部は、黒く変色して煙を噴き出している。漏れたガソリンに引火した炎が、湖面を帯状に広がっていた。その炎の奥に人影が見える。

いったい何者だ？　ロシア軍だろうか？　島で秘密の作戦が進行中だということを、ロシア政府が感づいたのか？

「モンク、ここで待機していてくれ」グレイは指示した。「誰かが洞窟内に侵入する気配を見せたら、すぐに知らせてほしい」

　誰がこの攻撃を指揮しているのかはわからないが、唯一の移動手段を狙って破壊したことは間違いない。チームを洞窟内に釘付けにするためだ。だが、その理由をあれこれ考えても仕方がない。残り時間が刻一刻と少なくなる中、目的はただ一つ。「目」を回収してあの部屋まで持っていかなければならない。

　グレイはダンカンとジェイダとともに、広い空間に戻った。コワルスキが不安そうな面持ちで待っていた。

「今のは何の音だ？」大男が訊ねた。「外で何が起きているんだ？」

「気にするな」そう答えると、グレイはダンカンを見た。「炎上しているバスからドクター・ショウのバックパックを回収する必要がある」

「方法は？」ダンカンが訊ねた。

　グレイはジェイダの方を向いた。「いざとなったらあのザイルを一人で登れるか？」

　ジェイダはうなずいた。「私たちにどうしろと言うんですか？」

　グレイは考えを伝えた。

「そんな、無茶ですよ」ダンカンは賛同者を求めて周囲を見回した。

だが、コワルスキは肩をすくめただけだ。「俺たちはもっと無茶なことを経験しているぜ」

午前九時三十四分

〈これが俺の日課になるんじゃないだろうな〉

ダンカンはまたしてもボクサーパンツ一枚の姿で水辺に立っていた。ただし、今回は氷に空いた呼吸穴の縁だ。何度も湖から出入りする母アザラシの体でこすられているため、穴の縁は滑らかになっている。ダンカンはアザラシがこの穴から水に潜り、氷の下を泳ぎながら洞窟を通り抜け、広い湖に出る様子を思い浮かべた。

ダンカンがそこまで行く必要はないものの、それでも息継ぎなしで泳ぐには目的地までかなりの距離がある。しかも、冬場のアザラシとは違い、防寒用の脂肪がたっぷり付いているわけでもない。

それはもう一人も同じだった。

ジェイダもショーツとスポーツブラだけの姿になっている。

彼女の後ろでは、グレイとコワルスキが空間内に停めた二台の四輪バギーの準備を終え、武器の確認もすませたところだ。二人は途中でモンクと合流する計画になっている。

ダンカンはジェイダに注意を戻した。すぐ隣で体を震わせているが、その震えの理由が寒さだけではないことは明らかだ。

「準備はいいかい？」ダンカンは訊ねた。

ジェイダは息をのんでからうなずいた。

「俺の後についてくればいい」ダンカンは笑顔を浮かべながら言い聞かせた。「そうすれば大丈夫だ」

「早く終わらせましょ」ジェイダが言った。「考えれば考えるほど、気が進まなくなるから」

確かに、彼女の言う通りだ。

ダンカンは裸の胸に留めたショルダーホルスターをきつく締めてから、ジェイダの腕を強く握った。氷の上に腰を下ろし、呼吸穴の縁のつるつるになった部分を選んで滑り下りる。ダンカンの体は洞窟の床に厚く張った氷をくぐり抜け、その下に広がる水中に飛び込んだ。

すぐに全身が凍えるような冷たさに包まれる。心の準備をしていたつもりだったが、覚悟していたよりもはるかに冷たい。肺が悲鳴をあげる。口からも悲鳴が漏れそうになる。ダンカンは必死の思いで脚と手を動かし、穴から離れた。洞窟の入口を目指して氷の天井の下を進む。洞窟の床の氷の下を泳げば、敵に見つかることなく外に出られるはずだ。

体をひねって後ろを振り返ると、しぶきをあげながら水中に潜るジェイダの姿が見えた。あまりの冷たさにジェイダの全身がこわばる。そのまま縮こまって動けなくなってもおかしくない。けれども、ジェイダはこらえた。馬小屋の扉を蹴飛ばす種馬のように両足で強く一蹴りすると、ジェイダの体が水中を進み始めた。

〈かなり速いな〉

グレイからこの計画を持ちかけられた時、ジェイダは泳ぎには自信があると言っていた。

ダンカンは壁を蹴って勢いをつけながら、洞窟の入口を目指した。散乱光が頭上の氷を濃い青に染め、その明かりで底まで見通すことができる。ダンカンはジェイダに抜かれまいとした。足で水を強く蹴りながら泳ぎ続ける——そうすることで、体を温める効果もある。

トンネルの長さは三十メートルもない。いつもならば息継ぎなしでも泳げる距離だ。しかし、厚い氷に覆われた冷たい水中では、これくらいの距離でも死と隣り合わせの泳ぎになる。

ダンカンは光の様子で自分の位置を確認した。手で水をかき、脚を動かすたびに、明るさが増していく。トンネルの先では、朝の陽光が手招きしている。

その一方で、冷たい水がダンカンの体力を急速に奪っていた。肺が空気を欲している。手足が小刻みに震え始める。洞窟の入口が近づく頃には、視界にいくつもの小さな黒い点が踊っていた。ダンカンは後ろを振り返った。ジェイダもかなり苦しそうだ。

〈あと少しだ〉ダンカンは自分とジェイダに言い聞かせた。

前方に目標物が見える。ダンカンは必死に手足を動かした。

十メートルほど前方に、斜めに傾いたバスの車体があった。フロントグリルの部分が湖底に接している。グレイの説明によれば、バスの後部は氷の上に突き出しているということだ。

新鮮な空気があることを期待して、ダンカンはバスの車体の側面に泳ぎ着いた。ロケット弾の爆発の衝撃で、フロントガラスは吹き飛んでいる。ダンカンはその隙間を抜けてハンドルをつかみ、暗い車内に体を引き上げた。座席の間を勢いよく進み、バスの後部に残った空気の中に顔を出す。

その直後、ジェイダも浮上した。

二人はできるだけ静かに空気を吸い込んだ。ありがたいのは酸素だけではなかった。車内は暖かい。炎にあぶられた直後のため、かなり温度が高くなっている。だが、今の二人にとっては暑すぎるくらいがちょうどいい。

ダンカンの耳はバスの外から聞こえる声をとらえた。朝鮮語、あるいは中国語だろうか？これまでのところ、自分たちの存在が気づかれた気配はない。洞窟の中に閉じ込めた獲物が水没したバスの車内に現れようとは、敵も予想すらしていないのだろう。

この隙を利用しない手はない。

ダンカンはジェイダの方を見ながら下を指差した。ジェイダがうなずき返したのを合図に、二人揃って水中に潜る。座席の背もたれをつかみながら、二人はバスの車内の前部に向かって戻り、ジェイダのバックパックを探した。

固定していなかったものはすべて、バスの前部に落下しているか、割れたフロントガラスから外に飛び出しているかのどちらかだった。酸素を十分に補給したジェイダは、まるでアザラシのように華麗に泳いでいる。その後を追うダンカンは、図体の大きなクジラになったかのような気分だった。ジェイダがすぐにバックパックを発見したので、二人は再び水面に戻った。

ジェイダが中身を確認する。その顔に浮かんだ安堵の表情がすべてを物語っていた。

ダンカンはジェイダに向かって親指を立てた。同じ動作が返ってくる。

「目」の回収は成功だ。

ダンカンは反射的に手を伸ばし、ジェイダにキスをした。これから先、再びこのような機会が訪れるかどうか、わからなかったからだ。そのキスの中に、ダンカンは多くの気持ちを込めた。ジェイダの無事を願う気持ち、ジェイダの頑張りへの感謝の気持ち、そして何より、これからもこのような機会が何度も訪れてほしいと思う気持ち。

突然のキスに驚いたのか、ジェイダが体をこわばらせた――だが、その唇からかたさが抜け、熱を帯び、ダンカンの唇と一つになる。

唇を離すと、ジェイダの輝く瞳がダンカンを見つめていた。新たな決意に満ちていると同時に、今まで以上に怯えているかのようにも見える。ジェイダはダンカンの頬にそっと触れてから、再び水中に潜った。

ダンカンは外の敵から見られないように注意しながら、車体側面の窓際に移動した。車外の状況を確認する。断崖上から何本ものロープが垂れ下がっていた。冬用の迷彩服を着込んで武装した男たちの一団が、洞窟の入口の両側で配置に就いている。ダンカンはバスと断崖との間にいる敵の人数を数えた。

〈まずいな〉

ショルダーホルスターからシグ・ザウエルを取り出しながら、ダンカンはスロートマイクに手を触れ、サブヴォーカライジングでグレイに連絡を入れた。「『目』はそっちに向かっています。敵の数は二十人。洞窟の両側に十人ずつ。朝鮮語らしき言葉を話していました」

グレイが舌打ちをした。どうやら心当たりがあるらしい。「計画通りに進める」隊長の声が返ってきた。「三十まで数えたら攻撃開始だ」

ダンカンは窓際に戻った。

これだけの人数を相手に勝てる見込みはない。

計画は単純明快だ。

命を賭けて、できる限り時間を稼ぐこと。

ダンカンは暗い水中に視線を移した。世界の運命はジェイダがどこまで速く泳げるかにかかっている。

31

十一月二十日　イルクーツク時間午前九時四十四分
ロシア　オリホン島

ジェイダは無理だとあきらめかけていた。

恐怖と寒さと疲労で、精神的にも肉体的にも限界に達していた。バックパックを背負っているせいで、さらに負担が増している。まるで鉛の重りを運んでいるかのようだ。手で水をかいても、思うように体が進まない。だが、最も大きな問題は背中の荷物ではなかった。

水中を一筋の血が流れている。水をかくたびに、右腕から血があふれ出す。バスの車内から水中に脱出する際、ジェイダは爆発で変形した金属のとがった部分で右腕に深い切り傷を負ってしまっていた。一メートル進むごとに、体温と力が水中を流れる赤い帯となって体内から抜けていく。それでも、ジェイダは前に進み続けた。次第に痛みの感覚が失われていく。

右腕に力が入らないため、その分は足で水を強く蹴って補わなければならない。

肺が空気を求めて悲鳴をあげる。

目の前が暗くなる――洞窟に入って朝の光が届かなくなったからではない。まるで影に包まれて泳いでいるかのように、視界が狭まってしまったためだ。

はるか前方に周囲よりも明るい水域がかろうじて確認できる。氷に空いた穴の横に置かれた懐中電灯の光が、水を照らしながら彼女の到着を待っている。温かい服とともに待っている。

〈でも、無理だ……〉

その思いとともに、泳ぐ速度が落ちていく。右手は役に立たず、体と一緒に引きずられているだけだ。ジェイダは必死に足を動かした。けれども、絶望感を振り払うことはできない。

水中を伝って振動が聞こえてきた。

顔を上げると、明るい光が透明な氷の上を通過しながら、洞窟の入口に向かっていく。

ジェイダは手を伸ばし、氷に手のひらを当てた。

〈助けて……〉

しかし、光はジェイダに気づくことなく通り過ぎた。

午前九時四十五分

グレイは朝の光に向かって四輪バギーを疾走させていた。モンクが後部座席に座り、すぐ後ろをコワルスキがもう一台のバギーで追っている。前方に見える洞窟の入口が次第に大きくなる。入口の左右に隠れている人影が確認できる。

ダンカンは「朝鮮語らしき言葉」と言っていた。朝鮮語で間違いないだろう。襲ってきたのは北朝鮮人だ。

しかし、どうやってこちらの居場所を突き止めたのか？　セイチャンとレイチェルの安否に対する不安が募る。二人がまだここに到着していない理由はそれなのか？　二人とも囚われの身になっているのだろうか？　グレイはセイチャンとの短い会話と彼女のそっけない口調を思い返した。

〈銃を突きつけられていたに違いない〉

それでも、一つだけ希望の光がある。

北朝鮮人はグレイとコワルスキも捕獲しようとしている。それも、生け捕りにしようと目論んでいる。

最初のうちだけかもしれないが。

しかし、その期待にすがるのは危険だ。

ダンカンのシグ・ザウエルから最初の銃声が響く。

四輪バギーの接近する音に反応して敵の注意が洞窟の入口に向けられている隙を突いて、ダンカンが北朝鮮人たちの背後から攻撃を仕掛けたのだ。

予想もしていなかった方角からの突然の発砲に、敵の間から動揺と驚きの悲鳴があがる。それを合図に後部座席のモンクが立ち上がり、前方に向かって発砲して混乱に拍車をかける。

グレイはアクセルを深く踏み込み、二方向からの攻撃への対応に窮している敵の混乱に乗じて突き進んだ。

一人の兵士が視界に飛び込んできた。洞窟の入口に浮かび上がる兵士のシルエットは、ライフルを構えている。

モンクは一発で兵士を倒した。

グレイは左に、コワルスキは右にハンドルを切って、倒れた兵士の死体をかわす。

四輪バギーが太陽の光のもとに飛び出すと、二人はハンドルから手を離して車体をスピンさせ、全方向に銃を撃ちまくった。ダンカンもバスの後部扉を押し開けて体を突き出し、高い位置から狙って発砲する。

冬用の迷彩服姿の兵士たちが氷上に突っ伏した――撃たれて倒れた兵士もいれば、銃弾の的になりにくいように伏せた兵士もいる。

だが、相手の方が人数でも武器の数でも上回っていることは、グレイも認識していた。いつ形勢が逆転してもおかしくない。すでに横滑りする四輪バギーを追うように銃弾が飛び交い、周囲の氷にも亀裂が入り始めている。

グレイたちの目標はただ一つ。時間を稼ぐこと。

ヴィゴーには円形の部屋から出ないように念を押したうえで、ジェイダの到着を待ち、彼女を手伝うように指示を与えてある。ヴィゴーは同意したものの、顔色はいっそう青ざめて見えた。

ただ一つの目標を意識して、グレイは引き金を引き続けた。ジェイダが急いでくれることを念じつつ。

午前九時四十六分

ジェイダは両足と負傷していない片方の腕だけで、遠くに見える光を必死に目指していた。後方から銃声が聞こえる。ほかのみんなは私のために、命を賭けて戦っているのだ。その思いだけがジェイダを支えていた。口をしっかりと閉じ、息を吸いたいという衝動を抑えつける。けれども、肺は焼けつくように熱い。全身が氷の塊のように感じられ、重さとだるさが刻一刻と増していく。

その時、何かがジェイダの体にぶつかりながら、すぐ脇を通り抜けた。驚きのあまり、唇から気泡が漏れる。艶のある体をした茶色の母アザラシが、悠然と水中を泳いでいた。体を反転させると、アザラシはジェイダのもとに戻り、腰の周囲をぐるりと回った。体をこすりつけたかと思うと、再び前進し、まるで手招きをするかのように目の前に浮かんでいる。

氷の冷たさと肺の熱さの苦悩の狭間《はざま》で、ジェイダは理解した。

痛めていない左手を伸ばし、アザラシの尾をつかむ。ジェイダの手が触れると同時に、アザラシは前方に急発進した――ジェイダがつかむのを待っていたのか、あるいは単に驚いただけなのかはわからない。ジェイダを引きずりながら、アザラシは洞窟の奥の呼吸穴へと、新鮮な空気のもとへと向かっていく。

左手の指先にすべての力を込めて、ジェイダはアザラシの尾にしがみついた。

数秒もしないうちに、ジェイダとアザラシは明るい光が漏れる地点に達し、勢いよく浮上した。水面から顔が出ると、ジェイダはあえぎながら空気を吸い込んだ。アザラシはすぐ隣の水面に浮かんでいる。茶色い大きな瞳が、大丈夫かと確認するかのようにジェイダのことを見つめている。呼吸を整えながら、ジェイダは目の前のアザラシの姿に不思議な感動を覚えていた。負傷した同じ哺乳類を助けようというアザラシの母性本能が働いたためだろうか？　あるいは、シャーマンと一緒にいた若者が話していたというこの島の精霊が、自分を助けにきてくれたのだろうか？

答えはわからないが、ジェイダは心の中で母アザラシに感謝した。アザラシは何度か空中に鼻を突き出してから、再び潜って姿を消した。

ジェイダは穴の縁に向かって泳いだ。グレイが残しておいてくれたロープをつかんで水中から体を引き上げ、穴の縁がこすれて滑り台のようになったところからよじ登る。氷の上に戻ると、ジェイダは這って前に進んだ。腕から血が滴り落ちているため、氷の上に手の跡が残る。

毛布があるところまでたどり着き、ジェイダは濡れた体をふいた。服も置いてあったが、全部を着ている時間の余裕はない。ジェイダはバックパックを下ろし、パーカを下着の上に直接羽織ってジッパーを閉めた。

全身の震えをこらえながら、ジェイダはバックパックを肩に掛け、登山用のハーネスを装着した。裸の両脚を通してから、ハーネスをしっかりと固定する。

ジェイダはふらつきながら凍結した滝に向かった。手足の震えを抑えることができない。滝の下に達し、垂直な氷の壁を見上げる。一本のザイルが滝の上まで通じている。

ザイルを握った瞬間、ジェイダは無理だと悟った。指先の感覚がほとんどない。手足が震えるたびに、体の力が奪われていく。

けれども、洞窟を伝ってここまで銃声が響いてくる。

仲間はまだあきらめていない。

〈私もあきらめるわけにはいかない〉

残り時間が十分あまりしかないことを意識しながら、ジェイダは最初のハーケンへ、続いて次のハーケンへと体を引き上げた。新たな決意が手足を動かす。だが、意志の力のようには手足の力を取り戻すことができない。

ジェイダは負傷した右腕を伸ばし、ハーケンをつかもうとした――だが、手が滑ってバランスを崩し、かたい氷の床に落下する。ジェイダは滝を見上げた。熱い悔し涙が頬を伝う。現実が重くのしかかる。

〈こんなの無理よ〉

午前九時四十八分

グレイは負けを覚悟した。

最初の不意打ちの効果はすでに薄れ、敵は反撃に転じ始めた。一発の銃弾が四輪バギーの側面に当たって跳ね返り、グレイの太腿をかすめる。太腿から腰にかけて、熱い線状の痛みが走った。

グレイはコワルスキに合図した。

大男がバスに向かって四輪バギーを走らせる。グレイとモンクはコワルスキを援護し、氷上に激しい銃弾の雨を降らせる。

バスの周囲の氷が割れた地点に達すると、コワルスキは四輪バギーを百八十度回転させ、氷に空いた穴の縁に停止させた。穴の縁は今にも崩れそうだ。

ダンカンが後部扉から飛び出し、傾いたバスの後部を走ってジャンプした。漏れたガソリンと油で濁った水面を飛び越え、コワルスキのバギーの後部座席に着地する。コワルスキはすぐにバギーのアクセルを踏み込んでバスから離れ、車体を揺らしながらグレイの方に戻ってきた。

二人を狙う銃弾がバスの車体に当たり、氷のかけらを飛散させる。

モンクは洞窟に向かって発砲した。グレイも片手でハンドルを握り、もう片方の手で引き金を引き続ける。

全員の弾薬が尽きかけている。あとは最後の戦いに挑むしかない。

そのための場所として、グレイは洞窟を目指した。

すぐ後ろをコワルスキの四輪バギーが猛スピードで追う。

モンクの銃弾を足に受けた兵士が倒れた。ほかの兵士たちもグレイたちが攻撃を集中している洞窟の入口付近から退避する。行く手を遮るものがなくなったため、グレイたちは氷の上を一気に洞窟内へと突き進んだ。十メートルほど入ってから、同時に二台の四輪バギーをスキッドさせる。

バギーが停止すると同時に、四人は洞窟の奥の側に飛び降りた。車体を一時的な盾代わりにして、自分たちと敵との間に防御線を築く。

グレイは素早く仲間の状態を確認した。コワルスキは肩と脇腹から出血している。ダンカンの頬にはかすめた銃弾にえぐられた跡がある。モンクは太腿を手のひらで押さえていた。指の間からは血がにじみ出ている。

それでも、全員の表情には決意がみなぎっていた。ジェイダとヴィゴーに任務を遂行させるために、一秒でも長くここで敵を引き止めなくてはならない。だが、あいにく各自には数発ずつの銃弾しか残されていない。残り少ない銃弾を有効に使わなければならない。

その事実に気づいているかのように、敵が最後の攻撃に備えて集結し始めた。

グレイはいつでも対応できるように拳銃を構えた。

一人が前に進み出た。別の一人の体を抱えている。

防弾チョッキに身を包んだ大柄な北朝鮮人の兵士が、セイチャンを人質に取っていた。片腕を喉に回し、もう片方の手に握られた拳銃を頭部に突きつけ、セイチャンの体を盾代わりに使用している。セイチャンは打ちひしがれた表情を浮かべていた。いつもの強気はすっかり消えてしまっている。

「武器をこっちに向かって捨てろ！」聞き覚えのある声が呼びかけた。「両手を頭に乗せてこっちに出てこい。さもないと目の前でこの女も死ぬことになるぞ。さっきもう一人の女を殺したばかりだ」

グレイの頭の中で組み立て直されていた計画が、最後の言葉を耳にした途端に吹き飛んだ。

〈もう一人の女を殺した……〉

モンクの手がグレイの腕をつかむ。だが、グレイはその指をほとんど感じることができなかった。

〈レイチェル〉

記憶の断片が頭の中に次々と浮かぶ。濃いキャラメル色の瞳、怒った時に髪をかき上げる仕草、やわらかな唇、驚いた時の戸惑ったような笑い声。

〈そのすべてが消えてしまったのか?〉

「グレイ」モンクが小声で呼びかけた。その声と力強く腕を握る指が、グレイをかろうじてつなぎ止める。

激しい怒りが湧き上がり、我を失いそうになる。

洞窟の入口をパクが素早く横切り、背の高い北朝鮮人兵士の後ろに隠れた。「すぐに出てこい! 言う通りにすれば命だけは助けてやろう!」

虫けら以下の男の勝ち誇ったような口調で、グレイは自分を取り戻し、果たさなければならない任務を思い出した。世界を救うためには時間を稼ぐ必要がある。同時に、グレイには新たな目標ができた。レイチェルのかたきを討たなければならない。

「どうしたらいいと思いますか?」ダンカンがシグ・ザウエルを握ったまま訊ねた。

グレイはダンカンをジェイダの助けに向かわせようかと考えた。しかし、そうすればパクは人数が一人少ないことに気づき、ダンカンの行方を探させるだろう。それでは本末転倒だ。

「彼の言う通りにするんだ」グレイは無理やり言葉を絞り出した。「その方が時間を稼げる」

ほかに取るべき手段もないため、全員が武器を捨てた。投げ捨てた拳銃が氷の上を滑り、洞窟の入口から太陽の光が注ぐ外へ飛び出す。

グレイは両手を頭に乗せて立ち上がった。

ほかの三人もグレイにならった。四人で四輪バギーの車体を乗り越える。

近づいてくるグレイたちを見て、パクは勝ったと確信したのか、ようやく兵士の陰から姿を現した。余裕を見せつけるかのように勝利の一服に火をつけ、赤く輝くタバコの先端をグレイに向ける。

「これからは楽しくやろうじゃないか、二人きりで」

グレイは言い返してやりたい気持ちをぐっと抑えつけた。余計な反応を見せまいとする。この男を洞窟内に入れないためには、好きにしゃべらせておくのがいちばんだ。

ジェイダが洞窟の奥にある凍結した滝を無事に登れたかどうかはわからない。しかし、すでに登り終えたとしても、ザイルは残されたままだ。敵もザイルを使って滝を登ろうとするだろう。

だから、グレイはただパクをにらみつけた。

洞窟の入口に達したグレイは、自分たちにライフルの銃口が向けられていることに気づいた。同時に、氷上のあちこちに倒れた兵士の死体が目に留まる。少なくとも、パクの率いる部隊の半数を倒すことができたようだ。ライフルを構える兵士たちも、多くが銃弾を受けて血を流している。

この結果には満足しなければならないだろう。

左側に目を向けると、兵士たちの後ろにもう一人の見覚えのある顔がいた。

ジュロン・デルガド。

ジュロンはグレイの顔をちらりと見ると、すぐにつま先に目を落とした。ここでの自分の役割を恥じているかのような仕草だ。

それが彼の命取りになった。

ジュロンは北朝鮮の兵士が使ったロープを伝って細い人影が滑り下り、背後に音もなく着地したことに気づかなかった。太陽の光を浴びてきらめく刀が、背中から体を貫くまで。

驚きの叫び声とともにジュロンが膝から崩れ落ちる。そこにはグアン・インが立っていた。顔に彫られた竜の刺青までもが、激しい怒りで赤く輝いているかのように見える。グアン・インのもう片方の手には拳銃が握られている。その銃口が火を噴く。

洞窟の両側ではさらに多くの人影がほかのロープを滑り下りながら、高い位置から発砲した。

グアン・イン率いる三合会の構成員だ。

グレイは唖然としていた。グアン・インがどうやってここにたどり着いたのか、見当もつかない。しかし、そのことを問いただすのは後回しだ。

母親が作り出した混乱に乗じて、セイチャンは自分を拘束した兵士の足の甲を踏みつけた。

経験豊富な兵士はそのくらいのことで手を離したりしない。だが、セイチャンは少しだけ体勢を低くすることができた。その目はグレイに向けられている。

グレイはすでに行動を開始していた。セイチャンに向かって走る。兵士が発砲したが、グレイは両膝を突いて氷の上を滑った。銃弾が頭上をかすめるのを感じながら、グレイは手近にある唯一の武器を手に取った。

兵士の足もとに達すると、グレイは手に握ったつららの破片を突き上げた。つららの先端がセイチャンの耳元をかすめ、兵士の喉に突き刺さる。

兵士は武器を離し、両手で喉を押さえながら仰向けに倒れた。

グレイはダンカンの方を振り返った。「ジェイダを助けにいくんだ。急げ！」

残り時間は十分を切っている。

午前九時五十三分

ダンカンは迫りくる炎に追われているかのように洞窟内を疾走した。乗り捨てた四輪バギーを飛び越える。滑りやすい氷の部分を避け、風に飛ばされた乾いた雪が積もったところを選びながら、大股で走り続ける。

洞窟の外では銃撃戦が続いているが、銃声はすでにまばらになっている。到着した援軍が残存する北朝鮮軍を制圧しつつあるのだろう。

十秒とかからずに広い空間内に戻ったダンカンは、凍結した滝の真ん中あたりでしがみついているジェイダを発見した。苦労している様子がはっきりと見て取れる。滝の上のトンネルからはヴィゴーが身を乗り出し、必死にジェイダを引き上げようとしているが、あれではどう見ても力が足りない。

二人のもとに走りながら、ダンカンは呼吸穴から断崖まで点々と血の跡が続いていることに気づいた。氷の滝の表面にも半ば凍った血が付着し、青白い氷に深紅の色合いを添えている。

「頑張れ！」ダンカンは叫んだ。

「さっきからずっと頑張っているわよ！」ジェイダが叫び返した。怒りと安堵感とがないまぜになった声だ。

ダンカンは上から垂れ下がっているもう一方のザイルの端をつかんだ。「しっかりつかまってろ。俺が引き上げてやるから」

ダンカンが強く引っ張ると、天井部分のハーケンに通したザイルが動き、ジェイダの体をトンネルに向かって引き上げる。最後はヴィゴーの手を借りながら、ジェイダはようやくトンネルまでよじ登ることができた。だが、二人ともすでに疲労の限界に達しているようだ。

ジェイダがハーネスを外している間に、ダンカンは二人に向かって呼びかけた。「先に行ってくれ！　すぐに追いかけるから」

ジェイダは手を振って返事をした。言葉を発する体力も残っていないらしい。

二人の姿がトンネル内に消えるのを見届けると、ダンカンはザイルをつかみ、断崖を登り始めた。

午前九時五十四分

セイチャンは自分を拘束していた兵士から離れ、ようやく自由の身になることができた。グレイがダンカンに向かって叫ぶ声を聞きながら、リュンの手から落ちた武器を拾い上げる。レイチェルを撃ち殺す時に使ったのと同じ拳銃だ。

つららが突き刺さったままのリュンの死体をまたぐと、セイチャンは倒さなければならない唯一の相手の後を追った。

状況が怪しくなるとすぐに、パクは氷の上を走って逃げ出していた。湖に半ば水没したバスの車体の陰を目指しているようだ。片手に握った拳銃の銃口を背後に向け、狙いも定めずに乱射している。周囲が騒然となっていきなり形勢が逆転してしまったことで、パニックに陥っているのだろう。しかし、ギャンブル歴の長いパクは、自分の運が尽きたことも悟っているに違いない。

セイチャンはゆっくりとパクの後を追った。

パクはセイチャンの姿に気づくと、拳銃の銃口を向け、発砲した。

セイチャンはよけようとすらしなかった。

その代わりに、拳銃を構えて引き金を引く。

銃弾はパクの膝を撃ち抜いた。パクは悲鳴をあげながら前のめりに倒れた。腹這いの姿勢で、回転しながら氷上を滑っていく。爆撃を受けたバスの周囲の氷が割れたところに達しても、その勢いは止まらない。パクの体は一瞬宙を舞った後、水中に没した。

セイチャンは氷の縁に歩み寄った。冷たい水の中から、パクが咳き込みながら浮かび上がってくる。片方の膝をやられているから、水面に浮かんでいるために足で水を蹴るたびに、相当な痛みを感じているはずだ。

パクは必死に氷の縁まで泳ぎ着き、手をかけられそうな場所を探した。指先を氷の縁から伸ばし、すぐ近くに突き出たバスの車体の角をつかむ。だが、そのはずみでバスがわずかに動き、傾いた車体が隣接する氷に沈み込んだ。パクの指は車体と氷の隙間に挟まれたままだ。パクは叫び声をあげ、押しつぶされた四本の指を引き抜こうとした。

ギャンブルでの借金の返済を促すために、セイチャンの母はパクの指を一本切り落とした。だが、セイチャンはパクに対してそれ以上の貸しがある。

「助けてくれ！」パクはガチガチと歯を鳴らしながら訴えた。

セイチャンは上半身を折り曲げた。パクの瞳に希望の光がともる。

だが、セイチャンは差し出した手で、水中に飛び込んだ時にパクの口から落ちたタバコの吸い殻を拾い上げた。体を起こして息を吹きかけると、タバコの先端が赤く燃え上がる。

パクの目に浮かんだ希望が恐怖に変わった。セイチャンと同じように、パクもガソリンと油のにおいに気づいているはずだ。バスから漏れた液体が、水面に厚い層を作っている。

「ずいぶんと寒そうね」セイチャンは声をかけた。「暖かくしてあげるわ」

セイチャンは吸殻を指ではじいた。湖面に降り注ぐ赤い灰が、最初は気化したガスに、続いてガソリンと油に引火する。炎が湖面を伝い、瞬《またた》く間にパクの全身を包み込んだ。

セイチャンはパクに背を向け、洞窟へと戻り始めた。上半身を炎に、下半身を氷に包まれているパクの悲鳴が聞こえる。

〈レイチェルのかたきは討ったわ〉

32

十一月二十日　イルクーツク時間午前九時五十五分
ロシア　オリホン島

ジュロン・デルガドは氷の上に横たわっていた。流れ出た温かい血が体の下に広がっていく。銃声が治まると、命乞いをするパクの声が聞こえた――その直後、声は悲鳴に変わった。だが、ジュロンはパクに同情などしていなかった。

あんなやつは苦しみながら死ぬのがお似合いだ。

〈私もそうかもしれない〉

その思いに呼び寄せられたかのように、視界に顔が入った。ジュロンを見下ろすその表情には、名前に似合わず慈悲のかけらすらない。

「グアン・イン」ジュロンはつぶやいた。片手を差し出したが、震えるばかりで力が入らない。ジュロンは手を下ろした。「パクが私の妻を人質に……おなかの中には息子が……」

だが、グアン・インの顔からは感情の存在をうかがい知ることができない。刺青の竜のうろこのようにかたい表情のまま、ジュロンの訴えに耳を貸そうとしない。

「お願いだ」ジュロンはあえいだ。唇は血の味がする。「私は……二人を愛している……頼むから助けてやってくれ」

「なぜ私がおまえを助けなければならない？　これまでのことを水に流せというのか？」

「私は……何とかして……助けようと……」

グアン・インの眉間に一本のしわが刻まれる。

「どうして私たちのことを発見できたと思っているんだ？」ジュロンは苦痛に顔を歪めながら言葉を絞り出した。「パクと私をこの島までたどることができた理由は？」

「おまえと同じだ。私はあらゆるところに情報網を持っている。おまえたちが北朝鮮を離れ、モンゴルに向かったと聞いた。だから後を追い、ここまでたどり着いたのだ。おまえのことだから、まだあきらめずに――」

ジュロンはグアン・インの言葉を遮った。「誰がその情報網に話を流したのか、わかっているのか？　君のところに情報が届くように、私が仕向けたのだ」

それは嘘ではなかった。パクと行動を共にしている間、ジュロンには慎重な行動が要求された。そのため、女暗殺者の追跡装置を監視するという口実で、定期的にマカオに連絡を入れ、離れた場所から指示を与えていた。ただし、マカオの自分の兵力を動員したりすれば、北朝鮮人どもに感づかれ、妊娠中の妻の身が危険にさらされてしまう。だが、別の兵力を動かすことならできる。グアン・インの憎しみを煽《あお》り、利用し、救援に駆けつけさせようとしたのだった。

ジュロンは背後から刀で胸を刺された時の驚きを思い返した。

どうやら彼女の憎しみを煽りすぎてしまったようだ。

小さな計算ミスだ。

「君をここに引き寄せたのはパクを殺させるためだ。そのついでに助けてもらえればいいとも思っていた」ジュロンは小さな笑い声を漏らした。またしても血の味がする。「それが関係修復のための足がかりになればと」

〈だが、いまや気がかりなのは愛するナターリアのことだけだ……それと、決して見ることのできない息子……〉

グアン・インが顔を離した。どうやら話を信じてくれたようだ。だが、願いは聞き入れてくれるのだろうか？　名前のように慈悲深い女だという評判は、これまで聞いたことがない。

「二人を見つけるわ」ようやくグアン・インは約束した。「きっと助け出す」

安堵の涙が一筋、ジュロンの頬を流れ落ちた。彼女なら約束を果たしてくれるはずだ。

〈ありがとう〉

心の重荷から解放され、ジュロンの目がゆっくりと閉じ始めた——だが、視界が完全に閉ざされる前に、別の顔がグアン・インの顔の隣に現れた。この騒動の元凶となった女暗殺者だ。

その時初めて、ジュロンは二人の顔が似ていることに気づいた。

左右に並ぶ二人の女性。

母と娘。

ジュロンは小さな計算ミスの原因を理解した。これまでずっと、そうだったのだ。金が絡んでいたわけでも、縄張り争いをしていたわけでもない――グアン・インにとっては、家族の問題にすぎなかったのだ。

〈君に刺されたのも無理はない〉

ようやく自分の過ちに気づき、ジュロンは心の中で笑い声をあげた。その笑い声とともに、ジュロンは永遠の眠りに就いた。

午前九時五十六分

「我々の居場所がわかったのはそういう事情だったのですね」セイチャンと母親の背後に立つグレイの耳にも、会話の内容は聞こえていた。

拳銃を手にしたグレイが二人を守る周囲では、モンクとコワルスキが三合会の構成員たちとともに、敵の残党の始末を続けている。

グアン・インが立ち上がった。「そうなの。あなたたちがこの島にいることはわかったけれど、最後に届いた情報はジュロンがフジュルの宿屋にいるだろうというものだったわ」

グレイは理解した。ジュロンにはこの洞窟へと移動する前に仲間に連絡を入れ、最新の情報を伝える余裕がなかったのだろう。「それなら、どうしてこの場所に来ればいいとわかったのですか？」

グアン・インの表情に悲しげな影がよぎった。「女性が一人いたわ。撃たれていたけれど、まだ息があった。彼女が教えてくれたのよ」

〈レイチェルだ……〉

グレイの心にふくらみかけた希望を、グアン・インの次の言葉が打ち砕いた。「彼女は息を引き取ったわ。でも、私たちがここへ来ることができたのは、彼女の最後の言葉のおかげよ」

〈その言葉がみんなを救ってくれた〉グレイは思いを強くした。〈おそらく世界をも〉

グアン・インがグレイの腕に触れた。「彼女はその言葉を伝えなければという思いだけで、必死に戦っていたんだわ」

悲しみがグレイの心を引き裂こうとする。しかし、今は悲嘆に暮れている場合ではない。

まだここでの任務は終わっていない。

グレイは洞窟の入口に向かって歩き始めた。

世界を救うことのほかに、グレイには果たすべき任務がもう一つあった。もっと身近な問題に対処しなければならない。きっと悲しみに打ちひしがれるだろうが、ヴィゴーに対してレイチェルの運命を伝える必要がある。

午前九時五十七分

「それでレイチェルは？」モンシニョールが訊ねた。

黄金の部屋への入口をくぐりながら、ダンカンは相手の瞳に込められた期待を見て取った。ヴィゴーの隣で脚を引きずりながら歩くジェイダも、同じくいい知らせを待ち望んでいるような表情で、ダンカンの顔を見つめている。

凍結した滝を登った後、ダンカンは黄金のゲルの下にある小さな池のほとりでジェイダとヴィゴーに追いついた。

その後、階段を上りながら、ダンカンは知っている限りのことを説明した。敵の手に落ちたセイチャンが銃を突きつけられていたこと、新たな味方の登場で形勢が逆転したこと——ただし、この援軍に関しては、ダンカンもまだよく理解できていない。

それでも、一つの事実を伝えなければならない。

「レイチェルは殺されました」オブラートにくるんだ言い方が思いつかず、ダンカンは単刀直入に告げた。

室内に数歩入っていたヴィゴーの足が止まった。信じられないという目でダンカンを見つめながら、ヴィゴーの表情が大きく歪む。「まさか……」

悲嘆に暮れるヴィゴーが膝から崩れ落ちる。ジェイダはその横でヴィゴーを見守りながら、部屋の中央にある石柱の方に行くようダンカンを促した。

「十字架を調べて」ジェイダは小声で指示を与えながらバックパックを肩から外し、「目」を取り出そうとしている。「でも、動かしてはだめ」

ダンカンは理解した。遺物が本当に自分たちの探し求めているものかどうかの確認を取らなければならない。ダンカンは入れ子状になった鉄、銀、金の三つの箱のもとに急いだ。石柱の横の金の床の上には、頭蓋骨が置かれている。

頭蓋骨に近づかないよう注意しながら、ダンカンはいちばん内側の箱の中をのぞき込んだ。重さのありそうな黒い十字架が、同じ形に彫られた金の台の上に置かれている。

ダンカンは箱の中に向かって手を差し出した。しかし、いちばん外側にある鉄の箱に手が入る前から、指先の磁石が反応した。ここでも圧力のようなものを感じる。何かの力が指先に抵抗しているかのようだ。ダンカンはエネルギー場の奥深くまで手を押し込み、指先を黒い十字架の表面に近づけた。

またしてもぬるぬるとした、この世のものではないようなエネルギーを感じる。けれども、指先が十字架に触れる寸前、ダンカンは微妙な違いに気づいた。隕鉄から発する混じり気のない力を浴びながら、ダンカンはこのエネルギーがこれまでのものとほとんど同じだが、異なる感触を伴っていることに気づいた。

あるいは、異なる色というべきか。

ほかに表現のしようがない。

前に「目」をつかんだ時、ダンカンは「黒」を感じた。美しく輝く星の間の暗闇のような色だった。

一方、このエネルギーには「白」という表現しか思いつかない。

ジェイダの話では、二つの物体——十字架と「目」は、相反しているということだった。時間軸の両端に位置していて、量子的に異なる関係にあるという。

しかし、ほかにも根本的な違いがある。

「目」に触れた時、ダンカンは嫌悪感を覚えた。

ところが、今は十字架を握り締めたいという気持ちを必死にこらえなければならなかった。抑えがたいほどの欲求だ。ジェイダから注意を受けていたにもかかわらず、ダンカンの人差し指の先端が十字架の表面に触れた。

その瞬間、ダンカンの周囲が白一色に包まれた。

物理の素養があるダンカンは、ブラックホールがすべての光を吸い込み、理論上は存在するとされるホワイトホールがすべての光を放出するということを知っている。

今のダンカンはまさにそんな感覚だった。自分は放出されている。どこかほかの場所に、もしかするとほかの時間に、押し出されているかのようだ。そのまばゆい白さの中を、一つの人影が近づいてくる。黒い影にしか見えない。ダンカン自身を鏡に映した姿のように、黒い影も手を差し出した。前に伸ばしたダンカンの手との距離が縮まる。影の手も十字架をつかもうとしているかのように。

二人の指先が触れた瞬間、ダンカンは体が吹き飛んだかのように感じた。

不意に元の室内の光景が戻ってくる。ダンカンは横にふらつきながら、手を握り締めたり開いたりを繰り返した。

「どうかしたの？」ジェイダが声をかけた。

ダンカンは首を横に振った。

「十字架はどうだった？」

「ああ……エネルギーを持っている」

ダンカンは石柱から離れた。床に置かれた頭蓋骨にふと目が留まる。白い光の中に見えた影が脳裏に浮かぶ。

〈まさかあれが……？〉

そんな可能性に考えを巡らせる気になれず、ダンカンはジェイダのもとに戻った。「それで、どうしたらいいんだ？」

「『目』を十字架に触れさせるだけでいいと思うわ。相反するエネルギーが触れ合うことで対消滅を引き起こし、量子のもつれが断ち切られるはず」

ダンカンはエネルギー場がかき消される場面を思い浮かべた。

「わかった」そう言いながら、ダンカンは「目」の方に手を差し出した。「さっさと終わらせよう」

ジェイダは水晶の球体を持ち上げたが、ダンカンには渡そうとしない。

「どうした？」

ジェイダは周囲を見回した。「その時にはこの部屋を密閉する必要があると思うの。金は最も反応性の低い金属の一つだわ。純金の場合は黒ずみすら生じないくらいだから」

「だが、銀や鉄には生じる」ダンカンは応じた。

「たぶん、昔の人たちも何かを知っていたのよ。そのような遮蔽《しゃへい》効果が重要だと感じていたに違いないわ」ジェイダが立ち上がった。「いずれにしても、この部屋を密閉して外に出た方が安全だという気がするの。二つのエネルギーが対消滅を起こす際に、この中にとどまっているのは危険よ」

「だったら、君とヴィゴーは外に出て扉を閉めてくれ」

「作業をするのは私の方がいいと思う」ジェイダは反論した。「あなたよりもエネルギーに敏感ではないから」

だが、ダンカンとしてはジェイダをそんな危険にさらすわけにはいかない。

膠着《こうちゃく》状態を破ったのはもう一人の人物だった。

不意にヴィゴーが立ち上がり、ジェイダの手から「目」を奪い取った。石柱上の古い箱に向かって大股で歩いていく。ダンカンは後を追おうとしたが、モンシニョールは片方の腕を伸ばしてダンカンに指を突きつけた。次にヴィゴーが発した声には、強い命令口調と深い悲しみとが入り混じっていた。

「行きたまえ！」

ダンカンはヴィゴーを翻意させることができないと悟った。

ジェイダが腕時計に目を落とし、ダンカンの袖をつかんで扉の方に引っ張った。「誰かがやらなければいけない。それにもう時間が」

沈んだ気持ちを抱えたまま、ダンカンはジェイダと並んで出口に走った。外に出て扉を閉めながら中をのぞくと、石柱へ歩み寄るヴィゴーが見える。肩を落としたその後ろ姿からは、悲しみしか感じられない。

〈結果はどうなるかわからないが……ありがとう、ヴィゴー〉

ダンカンは扉を閉め、かんぬきを掛けた。

午前九時五十九分

ヴィゴーは使徒トマスの聖なる箱の前に立っていた。左右の手のひらの間に抱えているのは、宇宙の大きな謎を秘めた球体の水晶。三重構造の箱の底にあるのは、星を彫って作られ、聖人が肌身離さず身に着けていた十字架。本来ならば大いなる喜びに包まれているはずだった。人生の終わりに際して、このような神聖な瞬間に立ち会える幸せをかみしめているはずだった。

けれども、ヴィゴーの心には喪失感しかなかった。

ヴィゴーは自分の死を受け入れていた。自分の死後もレイチェルは生き続けると思うだけで満たされていた。そんな心の安らぎの一端に、自己満足があったことは否めない。死後も自分が忘れられることはないはずだと考えていた。レイチェルが息子や娘たちに、あるいは孫たちに、ヴィゴーおじさんの話や一緒に経験した冒険の話を語り継いでくれるはずだと思っていた。

ヴィゴーは神を呪いたいと思った――けれども、十字架を見つめているうちに、少し気持ちが落ち着いてくる。またレイチェルに会うことができるだろう。きっと会えるはずだ。

「絶対に会える」ヴィゴーは小声でつぶやいた。

それに続けて、心の中で短い祈りを捧げる。

それ以上の時間は残されていない。

けれども、それは死を間近にした人間が誰しも抱く嘆きではないだろうか？　死という終わりを迎えるに際して、あらゆる可能性を破壊する大いなる力を前にして、決して実現することのなかった何かに対して、誰もが後悔の念を抱くものなのだ。

ため息をつきながら、ヴィゴーは友人たちの顔を思い浮かべた。古くからの友人もいれば、新しい友人もいる。

グレイとモンク。キャットとペインター。ダンカンとジェイダ。

友人たちの無事のために、彼らがこれからも人生を満喫できるように、レイチェルはすべてを犠牲にした。そのために、彼女は短い生涯を終えてしまった。

〈私にもやらなければならないことがある〉

ヴィゴーは「目」を両手で持ち上げ、何千年にもわたって使徒トマスの頭蓋骨が安置されていた場所に載せた。頭蓋骨を支えていた数本の柱に、「目」がぴったりと収まる……「目」がここに安置される定めであったかのように。

球体と十字架が触れ合った時――

午前十時

ダンカンは息をのんだ。顔に正面から突風を食らったかのように、二、三歩後ずさりする――だが、体は後ずさりしていない。

その代わりに、意識が後頭部から外に吹き飛ばされた。ほんの一瞬だが、自分の体を後ろから見ている自分がいる。目の前にいる自分は、隣に立つジェイダとともに、扉の方を見つめている。

次の瞬間、意識が元に戻った。今度は体ごと前のめりになり、扉にぶつかってしまう。ダンカンは扉の脇の柱を手でつかんで体を支えた。

ジェイダが目を丸くして見ている。「大丈夫？」

「中にいなくてよかったと痛感したよ」

「何が起きたの？」

ダンカンは体外離脱体験を何とか言葉で説明しようとした。

話を聞き終えたジェイダは、不信の表情を浮かべることなくうなずいた。「エネルギーの対消滅に伴う衝撃が、局所的な量子の泡を作り出して、外側に破裂したんじゃないかしら。あなたのような敏感な人の場合、意識と量子場との波長が合っているから、物理的な影響を及ぼしたのよ」

「だったら、この部屋の中の人はどうなんだ？　爆発の中心にいた人の場合は？」

午前十時一分

〈いい質問だわ〉ジェイダは思った。

同時に、答えを知るのが怖い質問でもある。

ダンカンの経験を聞かされた後だからなおさらだ。

「わからない」ヴィゴーの運命に関しては、そうとしか答えようがない。「何ともないかもしれないし、影響をまともに受けているかもしれない。表が出るか、裏が出るか」

今のヴィゴーはシュレーディンガーの猫のような状態だ。扉が閉まったままである限り、生きていると同時に死んでもいる。扉を開いて初めて、ヴィゴーの運命がどちらかに決まる。

ジェイダはその答えとともに宇宙が二つに分かれていく様を想像した。

ダンカンが扉に手を伸ばした。そのポテンシャルが崩壊しようとしている。その時、物音を耳にして二人は振り返った。池の近くにあるトンネルの中から、四つん這いになったグレイが現れた。二人の姿を認め、階段を駆け上がってくる。

グレイは素早く状況を確認し、一人欠けていることに気づいたようだ。

「ヴィゴーはどこだ?」グレイが訊ねた。

ジェイダは密閉された扉を見た。「あの中で作業をすると申し出たの。自分が『目』と十字架を接触させるって」

「もう終わったのか？」

「ええ」ジェイダは答えた。

グレイは閉まったままの扉を見て顔をしかめた。「なぜ終わったと断言できるんだ？」

ダンカンが手の甲をさすった。ちゃんとそこにあるのかを確認するかのような仕草だ。「間違いないですよ」

グレイが扉に近づいた。「それなら、中に入るぞ」

ジェイダはかんぬきを手で押さえた。グレイが扉を開けなければ、ヴィゴーの運命は決まらないままかもしれない。でも、そんなことをして何になるのだろう？

「彼が助からなかった可能性は高いと思います」ダンカンが注意を促した。グレイに心の準備をさせようとしている。

ジェイダはうなずき、かんぬきから手を離した。

グレイがかんぬきを外し、扉を引き開けた。

午前十時二分

グレイは黄金の部屋に足を踏み入れた。何も変わっていないように見える。使徒トマスの生涯を描いた壮大な壁画は元のままだ。部屋の中央には石柱が立ち、その上には三重構造の箱が置かれている。

ただし、ヴィゴーが床に倒れていた。頭を使徒トマスの頭蓋骨に預けるかのような姿勢だ。

グレイはヴィゴーのもとに駆け寄り、仰向けに寝かせた。

胸が上下していない。

首筋に指を当てても、脈拍が感じられない。

〈ああ、まさかこんな……〉

涙があふれそうになる。

グレイは友人の顔を見つめた。安らかな表情が浮かんでいる。苦しんだ様子はうかがえない。

「知っていたのか?」グレイはヴィゴーから目をそらさずに訊ねた。「レイチェルのことを」

「知っていました」ダンカンが消え入るような声で答えた。

グレイは両目を閉じ、二人が再び一緒でいることを祈った。そう思ったことで、小さな安堵感を覚える。そうであってほしい。そうでなければならない。

〈二人とも、安らかに眠ってくれ〉

グレイはしばらくの間、頭を垂れたままヴィゴーのそばから離れなかった。

ダンカンが箱に歩み寄った。球体の上に手をかざし、中から持ち上げる。十字架も手に取って調べている。ようやくダンカンは首を横に振り、結果を発表した。

「エネルギーが消えています」

〈つまり、成功したということなのか？〉

グレイの頭により重要な疑問が浮かぶ。「間に合ったのか？」

ジェイダが腕時計を確認した。「わかりません。ぎりぎりのところでしたから。どっちに転んだ可能性もあります」

33

十一月二十一日　東部標準時午前一時八分
ワシントンＤＣ

ペインターは大勢の人たちとともにナショナルモールで待ち構えていた。大統領をはじめとする政府の主要閣僚はワシントンから退避している。そのほかの東海岸一帯にも、危険があるため離れるようにとの通達が出されていた。モンクとキャットも短い「休暇」を取得し、二人の娘とともにペンシルヴェニア州のアーミッシュの村に滞在している。被害が出る可能性のある地域からは離れたところにある村だ。

可能性は高くないものの、大丈夫だろうと高をくくっているわけにもいかない。

婚約者のリサからは、予定を繰り上げてニューメキシコ州から戻りたいとの連絡があったものの、ペインターは向こうにとどまるよう言い聞かせた。

ワシントンＤＣには避難勧告が発令されている。しかし、全員がアメリカの首都を離れたわけではない。ナショナルモールは多くの人々でごった返していた。広々とした芝生の上にはいくつものテントが張られ、ろうそくが灯《とも》され、アルコールもふるまわれている。ペインターのもとには、歌声のほか、祈りを捧げる声や激しく口論する声も聞こえてくる。

スミソニアン・キャッスルの外の階段から、ペインターは集まった大勢の人たちを見回した。全員が空を見上げている。恐怖に怯えている人もいないわけではないが、大多数は期待に胸をふくらませている。ペインターは今この瞬間ほど、人間を素晴らしいと思ったことはなかった。好奇心、畏敬の念、賛美といった、人間の持つ素敵な特性のすべてが、目の前のこの瞬間に凝縮されている。これから起ころうとする壮大なショーを前にして、人間とはいかに小さな存在であるかを思い知らされる。けれども、それを目の当たりにすることで、人間はより大きな存在になれるだろう。

足音を耳にして、ペインターは後ろを振り返った。ジェイダとダンカンがキャッスルの扉を出て走ってくる。ペインターは二人が手を握っていることに気づいた――だが、ペインターに近づくと二人の手が離れる。

そのことをいちいち指摘するのは野暮というものだ。

ペインターはジェイダの顔を見た。「SMCの予測が急に変わりました、なんて言わないでくれよ」

ジェイダは笑みを浮かべた。片手には携帯電話が握られている。「絶えず連絡を入れていきます。今のところ、アポフィスが地球に衝突するのは確実ですが、かすり傷程度の被害ですみそうです。それでも、かなり見ごたえがあると思いますよ」

〈よかった〉

ペインターは衛星が撮影した破壊の画像を思い返した。アイコン彗星からのダークエネルギーのコロナを地球側に引き寄せていた量子のもつれを断ち切ることで、地球周辺の時空の湾曲が停止し、小惑星が地球上へ次々に降り注ぐという災厄は回避できた。

ペインターの脳裏に南極での出来事がよみがえる。同じことが地球規模で起きるかもしれなかったのだ。南極では八人の海軍兵士の命が失われたが、自らの危険も顧みずに部下たちを安全な場所まで避難させたジョッシュ・ルブラン中尉の勇敢な行動ととっさの判断がなければ、もっと多くの犠牲者が出ていたことだろう。ペインターは中尉をシグマにスカウトしようかと考えていた。あの若者は大きな可能性を秘めている。

だが、危険がまったくなくなったわけではない。衛星の通過に伴ってすでに生じていた動きを止めることはできなかったからだ。オーストラリアの奥地に数個の隕石が落下し、太平洋にもさらに多くの落下が確認されたとの報告が入っている。ヨハネスブルク近郊にも大きな隕石が落ちたものの、幸いにも近くにあるサファリパークの動物たちが驚いた程度の影響ですんだということだ。

依然として最大の危険と見なされているのは、小惑星アポフィスだ。すでに通常の軌道から外れてしまっており、それを元に戻すことはできない。シグマは量子のもつれを断ち切ることに成功したものの、制限時間ぎりぎりのところだった。結局、アポフィスの地球衝突を回避するには遅すぎたものの、彗星が小惑星をアメリカ東海岸直撃の軌道に引き寄せるのは阻止することができた。小惑星はほかの場所に落下すると予想されている。

現時点で小惑星は高層大気圏内を浅い角度で通過中で、その過程で運動エネルギーの大半が失われる。小惑星が爆発する可能性はいまだに高いものの、破片は東海岸の人口密集地帯ではなく、大西洋上に降り注ぐと見られている。

その予想通りであってほしい。

ペインターはジェイダの顔に不安の色を探した。計算結果や予測に対する疑いはないのだろうか？　だが、空を見上げるジェイダの顔からは、喜びしか感じられない。

その時、ジェイダが空から目を離した。

こちらに向かって手を振りながら、通りを走って近づいてくる人影が見える。背の高い黒人女性で、テニスシューズにジーンズ、厚手のジャケットというでたちだ。ジッパーを閉めていないジャケットを後方にはためかせながら、あわてた様子で近づいてくる。

ペインターの顔に笑みが浮かぶ。到着が少し遅れたものの、このパーティーにふさわしい出席者だ。彼女もこの場にいてもらわなければならない。

午前一時十一分

「ママ！」ジェイダは母と抱き合った。「間に合ったのね！」

「見逃すわけにいかないじゃないの！」母は激しく息をしていた。何とか間に合わせようと、ずっとモールを走ってきたに違いない。

ジェイダは母の手を握り、もたれかかった。

母と娘は夜空を見上げた。これまでに幾度となく、二人で夜空を眺めたことがある。毛布の上に寝転がり、ペルセウス座流星群やしし座流星群を見たこともある。星のことをもっと深く知りたい、星の一部になりたいとジェイダが思ったのは、母と一緒に星を見ている時だった。母が星への興味を与えてくれなかったら、今の自分はなかっただろう。

母の指が愛情を込めてジェイダの指をぎゅっと握る。誇りと喜びに満ちた仕草だ。

「来たわよ」ジェイダは小声でささやいた。

母と娘はお互いの手をしっかりと握り締めた。

西の空から轟音とともに巨大な火球が姿を現した。地上を明るく照らし、光とエネルギーの尾を引きながら、宇宙の力を放出していく。火球は高速で上空を通過した。炎の軌道を目の当たりにして、群衆が静まり返る――次の瞬間、通過に伴う衝撃波が襲いかかった。地球が裂けるかのような音だ。人々が地面に伏せた。市内の各所でガラスが割れ、車の警報音が鳴り響く。

ジェイダと母は立ったまま、笑顔を浮かべながら、東へ遠ざかる火球を目で追い続けた。地平線の近くで火球は閃光《せんこう》とともに爆発し、炎の破片をまき散らしながら視界から消えた。

二回目の衝撃波が二人のもとに届く。

再び暗い夜が訪れた。彗星だけが、夜空にひときわ明るく輝いている。二人の見ている目の前で、百以上の流れ星が夜空を彩り、瞬《また》きながら光の帯を引く。天からの最後の贈り物だ。

群衆の間から歓声と拍手が沸き起こった。

気がつくとジェイダも手を叩きながら声をあげていた。母も大きな声で叫んでいる。宇宙の驚異を見届けた母の目には、涙が浮かんでいた。

ジェイダの頭にカール・セーガンの言葉が浮かんだ。

「私たちは星屑《ほしくず》でできている。私たちは宇宙が自らを知るための一つの方法なのである」

まさにこの瞬間にふさわしい言葉だ。

34

十一月二十五日　東部標準時午前十一時二十八分
ワシントンＤＣ

ダンカンは膝の上にシャツを乗せてスツールに座っていた。

刺青の針が刺さる上腕部の裏側に痛みが走る。三角筋が馬の蹄のようにかたく盛り上がっているあたりだ。焼けつくようなその痛みは、皮膚に描かれている刺青の題材にふさわしい。長い湾曲した尾を引きながら燃える小さな彗星のデザインには、アジア風の趣が加えられている。バイカル湖の島の黄金の部屋で、使徒トマスに十字架を捧げる中国の王の上に描かれていた彗星と似ていなくもない。

オリホン島のあの洞窟には、考古学者や宗教学者が大挙して訪れていた。ただし、発見の詳細については、まだ一般には公表されていない。洞窟内には大量の金のほか、チンギス・ハンが征服した国から奪った宝石入りの王冠が十二個もあるためだ。いずれあの洞窟はトマス派キリスト教徒の新たな聖地となるだろう——いや、すべてのキリスト教徒にとっても、おそらくモンゴル系の人々にとっても、神聖な場所となるに違いない。

〈ヴィゴーも喜ぶことだろう〉ダンカンは思った。

自分の命を犠牲にして世界を救っただけでなく、ヴィゴーは何百万もの人々の信仰心と探究心を新たにしたとも言える。

作業を終えたクライドが体を起こし、ダンカンの体というキャンバスに新たに加わった作品を血に染まった布でぬぐった。「うまくいったな」

ダンカンは体をひねり、彫られたばかりでまだ痛みの残る色鮮やかな作品を鏡に映して確認すると、自身の評価を下した。「最高の出来栄えじゃないか！」

クライドは控え目に肩をすくめただけだ。「一人目で練習できたからだよ」

クライドが指差す隣のスツールにはジェイダが座っている。

ジェイダが体を動かし、袖をまくった腕をダンカンの腕の隣に寄せた。自らの腕の作品と、ダンカンの腕の完成間もない作品とを比べる。まったく同じ二つの彗星は、二人が冒険を共にした証だ。

唯一の違いは、ジェイダの作品は黒いキャンバスに描かれた最初の刺青だということ。

「感想は？」ダンカンは訊ねた。

ダンカンを見上げるジェイダの顔には笑みが浮かんでいる。「最高だわ」

瞳の輝きからすると、刺青のことだけを言っているのではないのかもしれない。

それぞれの新しい作品とともに、二人は倉庫から真昼の太陽のもとに出た。駐車場では、愛車の黒のマスタングコブラRが艶のある影の断片のようにきらきらと輝いていた。この馬力のある車はダンカンの過去の象徴で、弟のビリーの思い出が詰まっている。その中には悲しみと喜びが――さらには責任が、一体となって存在する。

〈俺は生きている。でも、あいつは死んでしまった〉

これまでずっと、ダンカンは弟と合わせて二人分を生きなければならないと思っていた。戦場で短い生涯を終えた友人みんなの分も生きなければならないと思っていた。

ジェイダのために助手席側の扉を開けてから、ダンカンは車に乗り込み、運転席に座った。ギアのレバーを握る――その時、やわらかい指が手の甲をそっと包み込んだ。隣を見ると、ジェイダが目を輝かせながら自分のことを見つめている。その瞳の奥には、まだ言葉にしていない可能性が詰まっている。

ダンカンはモンゴルの山中で聞いたジェイダの話を思い返した。複数の運命がもつれ合っている中で、死というのはこの時間軸における命のポテンシャルが崩壊したにすぎず、ほかの扉が開くことで意識が新しい方向へと流れていく可能性があるということだった。

〈そうだとしたら、自分はほかの人たちの分まで生きなくてもいいのかもしれない……〉

ダンカンは身を乗り出し、ジェイダにキスをした。その瞬間、ダンカンはあることを悟った。みんなの分まで生きようとするあまり、自分の人生をおろそかにしてきたことを。

「この車はどのくらいスピードが出るの？」唇が離れるとジェイダがつぶやいた。片方の眉をいたずらっぽく吊り上げている。

ダンカンも唇を歪めて不敵な笑みを返した。

ギアを入れ、アクセルを踏み込み、急発進させる。車は太陽の光が降り注ぐ通りを疾走した。もう過去の亡霊に後を追われることもない。未来の希望に向かうだけだ。

この世界では、自分の人生を精いっぱいに生きていけばいいのだから。

午後四時四十四分

「乗せてくれて助かったよ」そう言いながら、グレイは旅行かばんを肩に担いでＳＵＶから降りた。

それにこたえてコワルスキが片手を上げた。葉巻の煙を吐き出しながら、助手席側に身を乗り出してくる。「素敵な女性だったな」いつになく真剣で心のこもった口調だ。「絶対に忘れないよ。彼女のおじさんのことも」

「ありがとう」グレイは扉を押して閉めた。

別れの挨拶代わりにクラクションを鳴らしてから、コワルスキは車体をこすりそうになりながらも、バスの前にＳＵＶを強引に割り込ませた。

グレイは自宅のアパートの入口へと向かった。アパートの敷地内には降ったばかりの雪が積もっている。白い雪が都会生活の汚れを覆い隠しているので、何もかもが新鮮でけがれがないように見える。

イタリアでの葬儀に参列したグレイは、一時間前にアメリカに帰国したばかりだ。サンピエトロ大聖堂ではヴィゴーの葬儀が盛大に執り行なわれた。レイチェルの葬儀にも、制服を着た大勢の国防省警察の隊員たちが顔を揃えていた。レイチェルの棺《ひつぎ》はイタリア国旗で覆われ、墓地ではライフルによる礼砲の音が鳴り響いた。

けれども、葬儀への参列を終えたグレイの心に安らぎが訪れることはなかった。

二人は大切な友人だった――これからも二人のことを思い出さない日はないだろう。

グレイは誰もいない自分の部屋に通じる階段を上った。セイチャンはまだ香港にいて、母親との絆を築こうと模索しているところだ。二人は香港の沖合の島に監禁されていたジュロンの妻を発見した。危害は加えられておらず、おなかの中の子供も無事だった。二人は彼女を解放したが、セイチャンの話ではジュロンの妻はポルトガルに帰国したということだ。

ジュロンの死によって生じた権力の空白に乗じて、グアン・インが一気にマカオを掌握した。すでにマカオの新しいボスの座を確実にしているという。その地位を利用して、彼女とセイチャンはマカオ半島および東南アジア一帯の女性の生活の向上のため、すでに行動を起こしていた。その手始めが売春組織対策で、これまでよりも厳しい基準を適用し、待遇の改善にも取り組んでいくらしい。

このような形で行動を共にすることが、母親と娘との関係修復へとすぐにつながるかどうかは難しいところだ。同じようなつらい境遇にあるほかの女性たちの負担を軽減することが、二人のためにもなっているのではないだろうか？　現在を正すことによって過去の苦境の痛みを和らげることができれば、お互いを再発見する余地も生まれてくるのかもしれない。

そのための道のりは一つだけではない。

セイチャンはモンゴルの行き場のない子供たちを助けることも自分に課していた。新しく生まれ変わろうとしつつある都会の中で、蒸気に煙る地下トンネルに追いやられたホームレスの子供たちのことだ。その子供たちを救うことで、セイチャンは誰も手を差し伸べてくれなかったかつての自分を救おうとしているのではないか、グレイはそんな気がしていた。

再びモンゴルを訪れた際、セイチャンはハイドゥを見舞った。モンゴル人の若い女性は腹部の矢の傷も癒えつつあり、すでに退院している。セイチャンが家族のゲルを訪れると、ハイドゥは若いハヤブサを訓練しているところだったそうだ。金色の羽と黒い目をした、元気のいい鳥だったという。

ハイドゥはそのハヤブサを「サンジャル」と名づけていた。

〈人はそれぞれのやり方で死者を悼み、心にとどめる〉グレイは思った。

自室の扉に手を触れたグレイは、鍵がかかっていないことに気づいた。

全身が緊張に包まれる。グレイはゆっくりとドアノブを回し、少しだけ扉を開いた。室内は暗い。特に異常は見られない。グレイは用心しながら部屋に足を踏み入れた。

〈出かける時に鍵をかけ忘れただけなのか？〉

キッチンを通り過ぎた時、グレイは空気中に漂うほのかなジャスミンの香りに気づいた。寝室の扉は閉まっているが、扉の下の隙間から揺らめく光が漏れている。グレイはその前に立ち、扉を押し開けた。

ろうそくに火がともっている。一人でいるグレイのことを気遣って、セイチャンが予定よりも早く香港から戻ってきていた。

セイチャンはベッドの上にいた。片肘を突き、脇腹を下にした姿勢で横になっている。長い裸の脚が、真っ白なシーツの上に暗い影となって伸びている。しなやかな体の曲線のシルエットが、グレイのことを誘っている。しかし、そこにはいわくありげな微笑みや、じらすような仕草はない。そこからかすかにうかがえるのは、自分たちはまだ生きているけれども、それを当たり前だと考えてはいけないということだけ。

フジュルの宿で聞こえてしまった会話については、すでにセイチャンから聞かされている。ヴィゴーが末期の癌だったこと。おじと姪との間で交わされた最後のやり取りのこと。今この瞬間、グレイはヴィゴーが語った人生についての最も大切な教訓を思い出した。

〈……贈り物を無駄にしてはいけない。後で使おうと考えて棚にしまったりしてはいけないのだよ。二本の手でしっかりと握り締め……〉

グレイはセイチャンに近づいた。歩きながら服を脱ぎ捨てる。すぐに脱げない服は破り捨てる。裸になったグレイは、裸のセイチャンの前に立った。

その瞬間、グレイは心の奥底から、人生で最も大切な真理を悟った。

〈今を楽しむ……明日があるかは誰にもわからないのだから〉

Σ エピローグ・裏

「私たちは今、鏡に映しているようにおぼろげに見ている」

——コリント人への第一の手紙　第十三章第十二節

十一月二十六日　中央ヨーロッパ時間午前十時十七分
イタリア　ローマ

レイチェルは検査室の外でおじと医師との話が終わるのを待っていた。おじがこの病院を訪れることに同意したのは、レイチェルが執拗《しつよう》に訴えたからだ。一連の検査がなぜ必要なのか、レイチェル自身にもうまく説明できなかったから、おじがなかなか首を縦に振らなかったのも無理はない。

ようやく扉が開いた。おじの笑い声が聞こえる。おじは医師と握手をしてから外に出てきた。

「これで満足してくれるかな?」ヴィゴーが声をかけた。「どこにも異常なしだ」

「全身のＭＲＩの結果は?」

「腰と背骨の付け根のあたりの神経痛以外は、問題なしだったよ」ヴィゴーはレイチェルの腰に手を回し、出口に向かって歩き始めた。「六十代でこれだけ健康だったら百歳まで生きられるでしょうと、医者からお墨付きをもらったよ」

今のは冗談だとわかったものの、その一方でレイチェルはおじの目尻がかすかに動いたことにも気づいた。何かを思い出そうとしているかのような表情だ。

「どうしたの？」レイチェルは訊ねた。

「今回の癌検診は君がどうしても受けろと言うから――」

レイチェルは大きなため息を漏らしておじの言葉を遮った。「そのことは謝るわ。でも、オリホン島から戻って以来ずっと、おじさんが病気にかかっているんじゃないかっていう嫌な予感が抜けなくて」レイチェルはかぶりを振った。「何だか馬鹿みたい」

「そういうこともあるさ。私だって横になって検査を受けている時に、体のまわりで機械が大きな音を立てていると、やっぱり君の言う通りかもしれないという気がしてきたものだ」

「私がしつこく言ったからだわ」

「そうかもしれないが……」ヴィゴーは気になることがあるような口調で応じながら、病院の出口に達する前に足を止めた。「話しておきたいことがあるのだよ、レイチェル。あの水晶の『目』を使徒トマスの十字架の上に置いた時、体の中で何かが裂けているかのように感じた。まるで私の存在そのものが引き裂かれているというか……二つに分かれていくかのようだった。真っ白な光の噴水の上に乗っているかのような気分だった。あの時は死んだと思ったよ。けれども、ふと気づくと元に戻っていた。グレイとダンカンとジェイダが部屋に飛び込んで、駆け寄ってきたのだ」

レイチェルはおじの手を握り締めた。「無事でよかったわ」

ヴィゴーはレイチェルの顔をじっと見つめている。「その時、ほんの一瞬だが、三人の顔を見た私は、大きな悲しみに包まれた。まるで君を失ったかのような気がしたのだ」

「でも、大丈夫だったでしょ?」レイチェルは言った。〈危ないところだったけど〉

レイチェルは宙を舞う銀貨を再び思い返した。銀貨が木の床の上で弾み、パクが靴で踏みつける。あの時のレイチェルは、グレイたちが向かった場所を教えたセイチャンに対して激しい怒りを覚えていた。

パクが足を上げると、肖像ではない側が見えた。

裏。

パクは何とも残念そうな表情を浮かべた。あの瞬間にレイチェルは、もし表が出ていたら自分は撃ち殺されていたに違いないと確信した。

「命拾いをしたのよ」

「もちろん、それから一分くらいして、ほかの人たちと一緒に君が駆け込んできたから、無事だということはわかった」ヴィゴーは再び出口に向かって歩き始めた。「だが、不思議だと思わないかね。私たちは二人とも、相手が死ぬのではないかという不吉な予感を覚えた。つまりだな、私が癌になる可能性はあったわけだ。私の体のどこかの細胞が間違ってスイッチを入れていたら——上にではなく下にスイッチを動かしていたら、私の体は癌に蝕《むしば》まれてしまっていた可能性もある」

「表か、裏か」レイチェルはつぶやいた。

ヴィゴーはレイチェルに微笑んだ。「生と死は偶然に左右される部分が大きいのさ」

「あんまりうれしくない考え方ね」

「硬貨を投げる人が信頼できるなら、そうでもないさ」

レイチェルは目を丸くしておじを見た。

ヴィゴーは詳しく説明を始めた。「未来に通じる道は無数にあって、分かれ道の先にはまた分かれ道があるといった具合に続いている。一本の道が閉ざされたとしても、別の道が別の宇宙に出現するかもしれない……そうすれば、我々の魂は、あるいは我々の意識は、別の宇宙に飛び移り、いつも正しい道を見つけながら、未来への旅路を継続することができる」

おじの話を聞きながら、レイチェルは選ばれなかった道に、永遠に消えてしまった可能性に思いを馳せた。その時、レイチェルの体を悲しみがよぎった。まるで大切な友人たちを失ってしまったかのようだ。

「つまりだな」ヴィゴーの言葉にレイチェルは我に返った。「前に進む道は常に存在しているのだよ」

「でも、道はどこに通じているの？」レイチェルは訊ねた。

ヴィゴーが扉を押し開けた。レイチェルの体が新たな一日のまばゆい光に包まれる。「どこにでも通じているよ」

著者から読者へ：事実かフィクションか

これから仕分けを始めるとしよう。これまでの本と同じように、内容を白と黒に分けようと思う。けれども、正直に白状させてもらうと、この小説には事実とフィクションとの、あるいは現実と憶測との間の微妙な線上にあり、どちらにも当てはまりそうな「灰色の」部分が数多くある。そこで、その線の上を歩いてどこにたどり着くかを見ることにしよう。

歴史は真実のタペストリーだと思われがちだが、かなりほころびが目立つのも事実である。ある程度は確実だと判明しているものには何があるだろうか？

フン族のアッティラ

西暦四五二年、アッティラはローマへの侵攻を目前に控えていた。そんな時、ローマ法王レオ一世はわずかな側近とともに馬に揺られてフン族の王のもとに出向き、話し合いを行ない、ローマへの攻撃を取りやめるように説き伏せた。そこにはどのような経緯があったのだろうか？　一説によると、兵士の間に病気が蔓延《まんえん》しており、別の戦線でも敵の脅威に直面していたため、アッティラは陣営を引き払ってローマを離れることを選択したと言われている。また、法王はアッティラの迷信深い性格を利用し、本書にも記した「アラリックの呪い」の話を持ち出して不安を煽ったのではないかとの説もある。その一方で、法王は大量の金と財宝を与えてアッティラを買収したと信じている者もいる。

理由は何であれ、アッティラはローマへの侵攻を中止した。その翌年、再びイタリアに戻ってローマを攻撃しようとの計画を進めている最中に急死することになる。死因は大量の鼻血で、イルディコという名の若い王妃をめとった日の夜のことであった。イルディコによるアッティラ毒殺説もある。アッティラは慢性のアルコール依存症で、婚姻の宴で夜遅くまで大酒を飲んでいたのが原因だとも言われる。死んだ夫のベッドの脇にいたイルディコがその後どうなったかについては、はっきりとわかっていない。

アッティラの遺体は莫大な量の財宝とともに、鉄、銀、金の三重の棺に納められたと伝えられている。アッティラの埋葬に携わった人々は全員が殺害された。川（おそらくハンガリーのティサ川）の流れを変え、川底の泥の中に棺を埋めてから、流れを元に戻したのではないかとの説を唱える人が多い。ところで、ティサ川と言えば……

ハンガリーの魔女裁判

「ボソルカーニシゲット」（魔女の島）の話は事実である。一七二八年七月、セゲドの町の近くにあるこの島で、十二人の魔女（男性も含む）が火あぶりの刑に処された。この時期、ハンガリー全土では、四百人以上が同じような形で殺害されたと言われている。旱魃、およびそれに伴う飢饉《ききん》と疫病の発生が、こうした狂気を引き起こした大きな要因と見なされているが、本書でも述べたように、政治的あるいは個人的な動機によって殺された人々も少なくない。魔女の脅威は敵を排除する格好の口実として使われたのである。

チンギス・ハン

モンゴル帝国の初代皇帝に関する本書の記述は、そのほとんどが事実である。親から与えられた名前は「テムジン」で、彼の率いる氏族の正式名称は「蒼き狼の首領」を意味する「ボルジギン」である。現在、ボルジギンとテムジンはともに、モンゴルで最も一般的な名前となっている。

驚くべきことに、全世界の男性の二百人に一人（およびモンゴルの男性の十人に一人）がチンギスと遺伝的に関係があるというのも事実で、これはハプログループC－M２１７を構成する二十五の遺伝子マーカーから実証されている。一夫多妻制や数多くの国々を征服したことの痕跡が、少なくとも遺伝子上には残っているのだと思われる。

チンギスの子孫の話に移ると、ヴァチカンの機密公文書館にはチンギス・ハンの孫のグユク・ハンが一二四六年に法王インノケンティウス四世に宛てた書簡《しょかん》が残っており、そこには法王自らがモンゴルの首都を訪れなければ深刻な影響が及ぶであろうとの警告が記されている。拷問の撤廃、紙幣の採用、郵便制度の確立、過去に類を見ないほどの宗教面での寛容性など、モンゴル帝国は時代を先取りしていた。首都にはネストリウス派の教会が建てられ、チンギス・ハンはネストリウス派のキリスト教徒から大きな影響を受けたと言われている。

チンギス・ハンの陵墓の場所については、今なお世界最大の謎の一つに数えられている。ヘンティー山脈内のどこかにあるのではないかとの説が有力視されているが、この地域は環境面および歴史的重要性への配慮から、立ち入りが厳しく制限されている場所でもある。それ以外にも、オリホン島など数多くの場所が候補としてあがっている。また、広大なチンギスの陵墓には、彼自身の財宝だけでなく、最も有名な孫のフビライ・ハンをはじめとする子孫たちの財宝も納められていると信じる人が多い。私個人としては、すぐにでもシャベルを持参して発掘に取りかかりたいところである。

使徒トマスと中国

「疑い深きトマス」として最もよく知られているこの使徒は、東洋への旅に出たと昔から考えられており、インドまで達したという説が有力である。インドでは今もトマス派のキリスト教徒（ナスラニ）が少なくない。使徒トマスは古代都市マイラポールの近くで殉教《じゅんきょう》したと言われており、その場所には教会が建っている。彼の遺物についての言い伝えには信憑《しんぴょう》性に欠けるものが多い。

使徒トマスが中国まで到達し、日本にも渡った可能性があると指摘する歴史家もいる。考古学上の新たな発見の中には、キリスト教が極東に伝わったのは現在の通説である八世紀よりもはるかに昔だったことを示すものも含まれている。

漢字が旧約聖書の内容を示唆している可能性については、本書で示した漢字とその意味は事実に即しているし、同じような事例はインターネット上でほかにも数多く指摘されている。ただし、それがこじつけにすぎないのか、あるいは失われた歴史の存在を示しているのかについては、読者の皆さんの判断に委ねたい。

ユダヤの呪文が記された頭蓋骨など、薄気味悪い遺物

ユダヤの呪文が記された器は、考古学者たちの手によってこれまでに二千個以上が発掘されており、三世紀から七世紀にかけてのものが多い。魔除《まよ》けや願掛けを意図したものだが、同じ目的のために鉢状の器ではなく頭蓋骨を用いた例もあり、ベルリン博物館にはそうした頭蓋骨が二つ所蔵されている。本の装丁《そうてい》に人間の皮膚を使用した「人皮装丁本《にんぴ》」も実在する。その中でも珍しい例として、乳首や顔が含まれている本もある。本の内容は天文関係の専門書から解剖学の教科書まで多岐にわたっており、中には祈禱《きとう》書も見られる。だが、奇妙な話はそれだけにとどまらない。ナポレオン戦争時代のフランスの囚人たちは、人間の骨を使って船の模型を

製作し、作品をイギリスに販売していたという。興味の対象は人それぞれということだろう。

こうした本を書く時の楽しみの一つは、世界の魅力的な場所を探ることができる点である。そのような場所について私が記述した内容のうち、どのくらいが事実なのだろうか？　簡単に答えれば「ほとんどすべて」ということになるが、主要な場所に関してもう少し詳しく説明することにしよう。

マカオと香港

ギャンブル好きならば、ポルトガル植民地時代の名残と中国文化とラスベガスのきらびやかさとが一体となったマカオを訪れるべきである。多くの意味で、マカオは「ゴールドラッシュ」の街と言える。腐敗と商業主義が協力し合いながらはびこり、三合会が政治家や開発業者と争いを繰り広げている。本書におけるＶＩＰルームの記述は、ジャンケット・オペレーターからマネーロンダリングに至るまで、事実に基づいている。また、カジノ・リスボアの地下のショッピングモールには「フッカーモール」が実在する。

香港に関する記述も正確を期している。ドゥアン・ジー三合会本部の建物の構造は、重慶《チョンキン》大厦《マンション》を参考にした。

アラル海

ここは人類が引き起こした最悪の生態学的災害の現場であろう。一九六〇年代前半にソヴィエト政府が二本の川の流れを変えたことにより、かつての豊かな内海は干上がり、アラルクム砂漠という名の、有害物質を含む塩原に変わってしまった。そこでは実際に「黒いブリザード」が吹き荒れ、平均寿命が六十五歳から五十一歳に短くなった地域もある。この地域一帯が船の墓場と化しているのも事実である。

北朝鮮

本書の記述は悲しいことにすべて事実である。自らを半ば神格化した独裁者の一族が統治するこの国では、大飢饉の最中に数十億ドルをかけて霊廟《れいびょう》を建設するといった、退廃的な贅沢《ぜいたく》と極端な貧困とが表裏一体となって存在する。北朝鮮の収容所の環境は世界で最も劣悪と見なされており、死者の埋葬作業を行なうと食料の配給が増えることから、囚人たちがその権利を求めて争っている。拷問が日常的に行なわれており、囚人は平均して五年以内に死亡する。平壌のような大都市でも状況はあまり変わらない。国民は誤った言動をしないように怯えて日々を過ごしながら、電力と食料の不足を耐え忍んでいる。

（訳注　グレイたちが待ち伏せを受けた柳京《リュギョン》ホテルは、ヨーロッパのホテルチェーンが運営す

る予定だったが、二〇一三年に開発が断念された）

モンゴル

ウランバートルは世界で最も寒い首都と言われる。地下に張り巡らされた蒸気暖房用のトンネルに暮らすホームレスの人々の数は、経済的な問題やアルコール依存症、あるいは単に社会に居場所がないなどの理由から増える一方で、その多くが子供たちである。しかし、ウランバートルには明るい未来もあり、世界有数の経済成長率を記録している。また、モンゴルは天然資源の豊かな国で、手つかずの自然も多く残されている。国民の大半がチンギス・ハンを神格化しているのも事実である。そのため、馬にまたがるチンギス・ハンをかたどった総重量二百五十トンの光り輝くステンレス鋼製の像をはじめとして、各所にチンギスの像が点在している。もっとも、モンゴルの男性の十人に一人が彼の子孫だということを考えると、それも当然だという気がする。

バイカル湖

バイカルアザラシは世界で唯一の淡水に生息するアザラシで、バイカル湖の固有種であるが、地球上で最も古く最も深いこの湖に見られる数多くの特徴の一つにすぎない。科学者たちはこの湖特有の生物圏の研究を「バイカロロジー」（バイカル湖学）と呼んでいる。この小説内で触れた点に関して補足すると、冬期にこの湖は完全に凍結する。その間のオリホン島への主な交通手段の一つが、氷の上を走るバスである。島内に話を移すと、ブルハン岬は実在し、アジア最大の聖地の一つに数えられている。オリホン島はチンギス・ハンとも数多くの関連があり、母親の生誕地でもあるほか、彼がこの島に埋葬されていると信じる人も少なくない。

本書で扱った科学的な内容に関しても、ほとんどが実証された事実や広く受け入れられた理論に基づいているが、憶測や推定の域を出ない事項がないわけではない（ただし、その数は読者の皆さんが思っているほど多くない）。それでは、ダークエネルギーや量子力学、そのほかの奇々怪々な話から成る世界をご案内しよう。

彗星

アイコン彗星に関する記述は、二〇一三年十一月に地球に接近する氷の塊「アイソン彗星」に基づいている。この彗星は空を明るく染めると予想されているが、災厄などはもたらさないはずである。この小説内の彗星のように、アイソン彗星は歴史上最も明るい彗星の一つで、日中でも肉眼で確認できるであろうと予想されている（訳注　残念ながらアイソン彗星は近日点通過時に消滅したため、雄大な天体ショーを楽しむことはできなかった）。

彗星の研究に関する話に移ると、ＩｏＧの試みは一九八六年のＮＡＳＡによるハレー彗星の観測に基づいており、この時はＩＣＥ衛星が彗星の尾の中を通過している。問題を起こす彗星としては、一九九四年に木星に衝突した例がある。二〇一四年には火星に彗星が衝突すると言われている（訳注　結局、このサイディング・スプリング彗星は火星に衝突せず、わずか十四万キロメートルの地点を通過した）。

これまでの歴史を振り返ると、彗星が災いの前兆と見なされた例は数多く、ヨーロッパでの腺ペストの流行やヘイスティングスの戦い、さらにはマーク・トウェインの死までも予兆したと言われる。一二二二年のハレー彗星の接近は、チンギス・ハンが西に軍を進めて世界征服に乗り出す決心をするうえで大きな影響を与えたと考えられている。

小惑星

二〇一三年二月のロシア上空でのチェリャビンスク隕石の爆発は、今でもインターネット上の多くの動画サイトで見ることができる。この爆発は地球近傍天体（ＮＥＯ）の予測の難しさを表す好例である。現在、ＮＡＳＡは一万個以上のＮＥＯを確認しているが、その数字は宇宙空間に存在する数のごく一部にすぎず、ロシア上空で爆発した隕石もそれまで確認されていなかった。チェリャビンスク隕石が持つ運動エネルギーは原子爆弾三十個分に相当するものであったが、高層大気圏で爆発したため、破片が地上に落下するまでにそのエネルギーの大半を失った。それでも、上空での爆発による衝撃波で建物の窓ガラスが割れ、千五百人以上が負傷した。

この小説に登場したアポフィス（小惑星番号九九九四二）は実在する小惑星で、地球に衝突する可能性があるとされるが、二〇二九年以降のことと考えられている。とはいえ、チェリャビンスクの例からもわかるように、惑星を壊滅させる可能性のある小惑星が宇宙空間には人知れず存在しているかもしれない。

「神の目」

「神の目」は実在する。正確には、複数の「目」が存在している。科学者たちはこれまでに四つの完璧な球体の水晶を生成しており、その球体の誤差は原子四十個分以下しかない。これらの球体はＮＡＳＡの重力観測Ｂ衛星のジャイロスコープとして、地球周辺の時空の曲率の計測に使用されている。ただし、彗星の観測に使用するのは控えた方がいいように思う。それがあまりいい考えでないのは、読者の皆さんもすでにおわかりであろう。

ダークエネルギー

宇宙の七十パーセントを占めるこのエネルギーについての推論ならば何ページでも書くことができるが、その正体に関してはまだ誰一人として突き止めることができずにいる。そのため、この問題に関する「明白な事実」を記すことは難しい。私が読んだ中で最も素晴らしいと思った記述は、本書の中にドクター・ショウの理論（「量子の泡の中で仮想粒子が互いに対消滅し、その結果ダークエネルギーが生まれた」）として取り入れている。ただし、これ以外にも数多くの理論が提示されている。

本書の準備をするに当たって、私はシカゴ郊外のフェルミ国立加速器研究所を訪れたが、その際に科学者たちが新しいダークエネルギー・カメラ（同研究所で開発され、チリの山頂の望遠鏡に設置された五百七十メガピクセルの機器）で作業をする姿を見せてもらうことができた。本書ではドクター・ショウがこのカメラから送られてきたデータを研究に使用していた。かなり高性能のカメラで、地球と宇宙の中心との間の四分の三の距離まで見通すことができるという。ぜひとも次世代のｉＰｈｏｎｅに採用してもらいたい。

量子のもつれ

粒子が互いに影響し合った後に分離すると、同じ量子的な特徴を帯びたまま離れていくが、一方に変化が生じるともう一方もほぼ同時に変化する。これは実際に起きる現象である。当初、これは亜原子粒子に限定される現象と考えられていたが、現在ではより大きな物体間でも起きることが確認されており、二〇一一年には科学者たちが肉眼で見ることのできる二個のダイヤモンドを量子がもつれた状態にすることに成功している。

ホログラムと多元宇宙

またしてもフェルミ国立加速器研究所のおかげで、私たちの宇宙はホログラムにすぎず、宇宙の内側の面に記された方程式に基づいて造られた3D模型なのかもしれないということを学ぶことができた。これが事実であることを証明するために、同研究所の研究者たちは世界で最も精密なレーザー干渉計「ホロメーター」の製造に取り組んでいる。個人的な意見としては、これは非常に不安を覚える考え方である（あるいは、私のホログラムを定義する方程式が不安を覚えさせている）。

より小さな問題に目を向けてみよう。

磁石の入った指先

まず言いたいのは、私もこれが欲しいということだ……もちろん、これは実在し、本書に記したような奇妙な感覚も事実に基づいている。バイオハッキングが盛んになりつつある今、指先の神経の末端近くに希土類磁石を埋め込んだ人の数は何千人にも達する。そのような人々は驚くべき形で電磁場を体感することができる。実際に私が話を聞いた人たちは、そうしたエネルギー場を質感、形状、リズム、さらには色などで表現していた。今までにないやり方で世界を経験する可能性が開け、その感覚に慣れてしまうと、それがない元の状態には戻れないと言う。磁石がないと目が見えないように感じる、という声が多かった。新しい世界なのは間違いないようである。

最後に、本書では私自身の理論も提示してみた。もし人間の意識が本当に量子効果であり、多元宇宙の間でもつれ合っているとしたら、私たちがバスにはねられるなどして死んだ時に、意識だけが生き延びて別の（すなわち、左右を注意していたのでバスにひかれなかった）時間軸あるいは宇宙へ移動することがないと言い切れるだろうか？　偶然に左右される人生において――硬貨の表が出るか裏が出るかで運命が決まる世の中では、私たちの前にほかの道が開けているかもしれないと思うだけで安心感を覚える。

というわけで、次にお会いする時まで、人生の旅路を楽しんでいただきたい――どの道を選ぶかはあなたの自由である。

謝辞

これから名前をあげる人たちがこの本の完成にどれほど貢献してくれたかを書いていたら、いくらページがあっても足りない。一人一人の名前を、フルオーケストラの伴奏付きで、とは言わないまでも、トランペットのファンファーレとともに紹介する価値はあるだろう。第一に、最初の読者であり最初の編集者でもある、親友たちの名前を記しておきたい。サリー・バーンズ、クリス・クロウ、リー・ギャレット、ジェーン・オリヴァ、デニー・グレイソン、レオナルド・リトル、スコット・スミス、ジュディ・プレイ、ウィル・マレー、キャロライン・ウィリアムズ、ジョン・キース、クリスチャン・ライリー、エイミー・ロジャーズである。そしていつものように、美しい地図を作成してくれたスティーヴ・プレイには特に感謝したい。また、面白そうな話の種をメールで送ってくれたチェレイ・マッカーター、刺激を与えてくれたとともに細かい問題を入念に調べ上げてくれたキャロリン・マクレイ、頼んだことは何もかもこなしてくれたばかりかデジタルの分野でいつも私をしっかりと導いてくれたデビッド・シルヴィアン、言語学に関して手伝ってくれたエイヴリー・リムとジョージー・リムにもお礼を言いたい。驚異の施設の見学の許可と手配をしてくれたシャウナ・コロナドとフェルミ国立加速器研究所の皆さんは、私の馬鹿な質問にも辛抱強く付き合ってくれた。いつも私を応援してくれるハーパーコリンズ社の皆さん――マイケル・モリソン、ライエイト・ステーリック、ダニエル・バートレット、ケイトリン・ケネディ、ジョッシュ・マーウェル、リン・グレイディ、リチャード・アクアン、トム・エグナー、ショーン・ニコルズ、アナ・マリア・アレッシ――も忘れるわけにはいかない。最後になったが、制作過程のすべてにおいて中心的な役割を果たしてくれた人たちの名前をあげておきたい。編集者のリサ・キューシュと同僚のアマダ・バーゲロン、鋭い校正の目を光らせてくれたローリー・マギー、エージェントのラス・ガレンとダニー・バロール（およびお嬢さんのヘザー・バロール）である。そしていつものように、本書に記述した事実やデータに誤りがあった場合は、すべて私の責任であることをここに強調しておく。その数があまり多くないことを願いつつ。

訳者あとがき

本書『チンギスの陵墓』は、ジェームズ・ロリンズ著 *The Eye of God*（二〇一三）の翻訳で、「シグマフォース・シリーズ」⑧に当たる。ただし、邦訳ではシリーズは「⓪」から始まっているので、⑧でも九作目ということになる（詳しくは後掲の作品リストを参照）。

シリーズ名となっている「シグマフォース」（通称シグマ）は、米国国防総省のＤＡＲＰＡ（国防高等研究計画局）傘下《さんか》の秘密特殊部隊のことである。レンジャー部隊やグリーンベレーなど、米軍から集められた精鋭の隊員たちは、専門分野の博士課程の訓練を受けてから任務に就いているため、「殺しの訓練を受けた科学者」とも形容される。その主な任務は、米国の安全保障に対して重要な科学技術の保護、入手、破壊にあり、それに関してはアメリカ国内・国外を問わずいかなる組織にも遅れを取らないことが要求される。シグマフォースは作者の創作であるが、ＤＡＲＰＡは実在の組織であり、ナノテクノロジー、神経科学、軍事技術などの幅広い分野での研究、ロボット工学やハッキングの競技会の開催など、二百以上のプロジェクトが進行中だと言われている。ＤＡＲＰＡの活動について興味のある方は、ウェブサイト（http://www.darpa.mil/）をご覧いただきたい。

シグマフォースの隊員たちが世界規模での危機、脅威、陰謀と戦うのが、この「シグマフォース・シリーズ」である。主人公のグレイソン（グレイ）・ピアースをはじめとして、モンク・コッカリス、キャット・ブライアント、ジョー・コワルスキなどのシグマの隊員、司令官のペインター・クロウ、謎の女暗殺者セイチャン、グレイの「恋人→元カノ」のレイチェル・ヴェローナ、ペインターの「恋人→婚約者」のリサ・カミングズなど、各作品に共通の、または繰り返し登場する登場人物も多い。それぞれの作品を構成するストーリーは独立しているので、順番通りに読まなくても十分に楽しむことができるが、シリーズを通じての設定があったり、登場人物の人間関係の変化や各人の成長も描かれたりしているため、シリーズ全体の流れや伏線などをより深く理解したい読者には、初期の作品を読むこともお勧めしたい（なお、本書と同時に、このシリーズのガイドブックともいうべき『Σ　FILES』が刊行されている。これについては後で詳しく述べたいと思う）。

前作『ギルドの系譜』で、シグマはシリーズ当初から「宿敵」として対立してきたテロ組織ギルドを壊滅させ、アメリカ政府内部にまで深く食い込んでいたギルドの勢力の排除にも成功した。その意味では、シリーズのこれまでの流れに一区切りがつき、この『チンギスの陵墓』で新たなスタートを切る、と言うこともできるかもしれない。とはいえ、このシリーズの特徴でもある、「歴史的側面」と「科学的側面」を巧みに融合させ、スピード感とアクションに満ちあふれたストーリーを構築する作者の能力は、本書でもこれまでと変わることなく健在である。

今回の歴史的側面の中心となるチンギス・ハンの名前は、日本の読者の皆さんにもお馴染みだろう。十三世紀初めにモンゴル帝国の初代皇帝として周辺の国や地域を次々に征服し、後に朝鮮半島から中国北部、中央アジアを経て東ヨーロッパに至るまでを領土とした人類史上最大と言われる帝国の基盤を築いた人物である。領土を拡張していく過程では残虐な征服者となり、相手国の住民をことごとく虐殺したこともあった一方で、チンギス・ハンは新しい技術や考え方を積極的に取り入れ、宗教に対しても寛容であった。また、ある戦いで自分の馬を射た（チンギス本人を狙ったとも言われる）ジェベという敵をとらえたが、その才能を評価して許した。後にジェベはチンギス・ハン腹心の将軍として、征西《せいせい》において大いに活躍することになるが、このように人物を見る目を持ち、正当な評価を与えたことにより、部下たちから絶大なる忠誠を得ていたとも言われている。

そんなチンギス・ハンについての最大の謎が、その陵墓の在り処である。彼の墓にはチンギス本人のほか、彼の子孫の遺体や莫大な財宝も埋められているとの噂があり、これまで幾度となく調査が行なわれてきたが、いまだに発見には至っていない。本書でシグマのチームは、迫りくる危機を回避するために、チンギス・ハンの陵墓を捜索することになる。なお、陵墓の所在地ではないかとして本書に登場するブルカン・カルドゥンは、二〇一五年にユネスコの世界文化遺産に登録されている。

一方、科学的側面の中心になるのは「ダークエネルギー」である。宇宙の全エネルギーの七十パーセントを占めるこのダークエネルギーについては、本書の中にも記されているように、その正体や発生源などはいまだに解明されておらず、謎のエネルギーとされている。そんなダークエネルギーに、量子のもつれ、人間の意識と量子効果、さらには多元宇宙の理論などを絡め、ＳＦの世界の一歩手前にまで（あるいは、ＳＦの世界の中に一歩）踏み込んで、本書のストーリーは展開していく。著者あとがきにあるように、ジェームズ・ロリンズ自身の大胆な解釈を取り入れている点は、このシリーズの新たな方向性を示していると言えるかもしれない。

そのほかにも、「疑い深きトマス」として知られる使徒トマス、フン族の王アッティラ、魔女裁判といった歴史的側面や、彗星、小惑星、バイオハッキングといった科学的側面、北朝鮮やモンゴルの実情、アラル海の環境破壊といった現代社会の問題なども織り込まれている。また、前作で生きていることが明らかになった母親を探すセイチャンの心の葛藤、それを手伝うグレイの心情、おじのヴィゴーを思うレイチェルの気持ちなど、登場人物の内面についても深く掘り下げられている。最後まで読んだ方はおわかりと思うが、本書では登場人物の人間関係に関しても大きな動きがある。この点もまた、今後のシリーズの方向性に影響を与えることだろう。

シグマフォース・シリーズの邦訳作品および日本でのシリーズ番号を、今後の予定も含めて記すと以下のようになる（【　】内の数字はアメリカでの刊行年）。

⓪ *Sandstorm*【二〇〇四：邦訳『ウバールの悪魔』（竹書房）】
① *Map of Bones*【二〇〇五：邦訳『マギの聖骨』（竹書房）】
② *Black Order*【二〇〇六：邦訳『ナチの亡霊』（竹書房）】
③ *The Judas Strain*【二〇〇七：邦訳『ユダの覚醒』（竹書房）】
④ *The Last Oracle*【二〇〇八：邦訳『ロマの血脈』（竹書房）】
⑤ *The Doomsday Key*【二〇〇九：邦訳『ケルトの封印』（竹書房）】
⑥ *The Devil Colony*【二〇一一：邦訳『ジェファーソンの密約』（竹書房）】
⑦ *Bloodline*【二〇一二：邦訳『ギルドの系譜』（竹書房）】
⑧ *The Eye of God*【二〇一三：本書】
⑨ *The 6th Extinction*【二〇一四：邦訳『ダーウィンの警告』（仮題）二〇一六年秋刊行予定】
⑩ *The Bone Labyrinth*【二〇一五】

アメリカではシリーズ第一作として *Map of Bones* が発表され、これは日本でもシグマフォース・シリーズ①『マギの聖骨』として邦訳が刊行された。シグマフォースが初めて登場したのはその前の *Sandstorm* だが、これは司令官に就任する前のペインター・クロウを主人公とする話で、グレイやモンクといったその後のシリーズで中心的な役割を果たす隊員は登場しない（ペインターが司令官に就任後、グレイやモンクたちを隊員としてスカウトしたという設定になっている）。当初、アメリカで *Sandstorm* はシグマフォース・シリーズに含まれていなかったが、今では作者のホームページにおいてもシリーズ最初の作品として扱われている。邦訳は①②③④の後で⓪に戻り、続いて⑤⑥⑦⑧という刊行順になっている。

こうした過去の作品で扱われた歴史的・科学的側面について、ここで記すページの余裕はないが、それについて詳しく知りたい方は、本書と同時に刊行される『Σ　FILES』をご一読いただきたい。これにはシリーズ⓪『ウバールの悪魔』から前作『ギルドの系譜』までの各作品のストーリーや歴史的・科学的側面の解説、主要登場人物のプロフィールをまとめた「シグマフォース・ガイド」と、これまで邦訳されていなかった短編三作品が含まれている。「シグマフォース・ガイド」の部分は、鍵になる情報がネタバレにならないような工夫がされているので、未読の作品であっても安心して読むことができるし、購入する際の参考にもなるだろう。また、既読の作品やすでにお馴染みの登場人物であっても、新たな情報を発見できるはずである。

この『Σ　FILES』に収録されている短編三作品の『コワルスキの恋』『セイチャンの首輪』『タッカーの相棒』は、それぞれシグマフォースの隊員のジョー・コワルスキ、女暗殺者セイチャン、シリーズ⑦に登場したタッカー・ウエイン大尉を主人公としている。コワルスキは読者の間でも人気があるようで、訳者の私もお気に入りのキャラクターである。この短編でも大活躍（?）しているので、ファンの方は十分に楽しむことができると思う。

作者のジェームズ・ロリンズは *Sandstorm* 以前に、*Deep Fathom*（ペインター・クロウと出会う前のリサ・カミングズが登場）、*Ice Hunt*（邦訳『アイス・ハント』（扶桑社）。シグマに加わる前のジョー・コワルスキが登場）など、五つの作品を発表している。最近ではシグマフォース・シリーズ以外に、Rebecca Cantrell との共著による「血の騎士団」シリーズとして、*The Blood Gospel*（邦訳『血の福音書』）、*Innocent Blood*（邦訳『聖なる血』（以上マグノリアブックス））、*Blood Infernal* の三作品を著している。

ほかにも、タッカー・ウエイン大尉と軍用犬のケインを主人公とした「タッカー・ウエイン・シリーズ」が、Grant Blackwood との共著により進行中で、二〇一四年五月に一作目の *The Kill Switch* が発売され、二作目の *War Hawk* も二〇一六年四月の刊行が決まっている。ペインター・クロウとシグマの隊員（グレイやモンクではなく、新たな人物）も登場する *The Kill Switch* は、二〇一六年初夏に竹書房から邦訳が刊行される予定である。

シグマフォース・シリーズ⑨となる次作 *The 6th Extinction* では、アメリカの軍事研究施設で発生した謎の事件をきっかけとして、グレイをはじめとするシグマフォースのチームが調査のため南極大陸に乗り込む。進化論で知られるチャールズ・ダーウィンがビーグル号での航海の際に目にした南極大陸の秘密が、厚い氷の下からよみがえり、地球上の生命を脅かそうとしていた……邦訳は二〇一六年秋の刊行を予定している。また、シリーズ最新作（シリーズ⑩）*The Bone Labyrinth* は、二〇一五年十二月にアメリカで発売される予定である。

最後になったが、本書の出版に当たっては、竹書房の富田利一氏、オフィス宮崎の小西道子氏、校正では白石実都子氏、千葉ちよゑ氏に大変お世話になった。この場を借りてお礼を申し上げたい。

二〇一五年九月

桑田　健

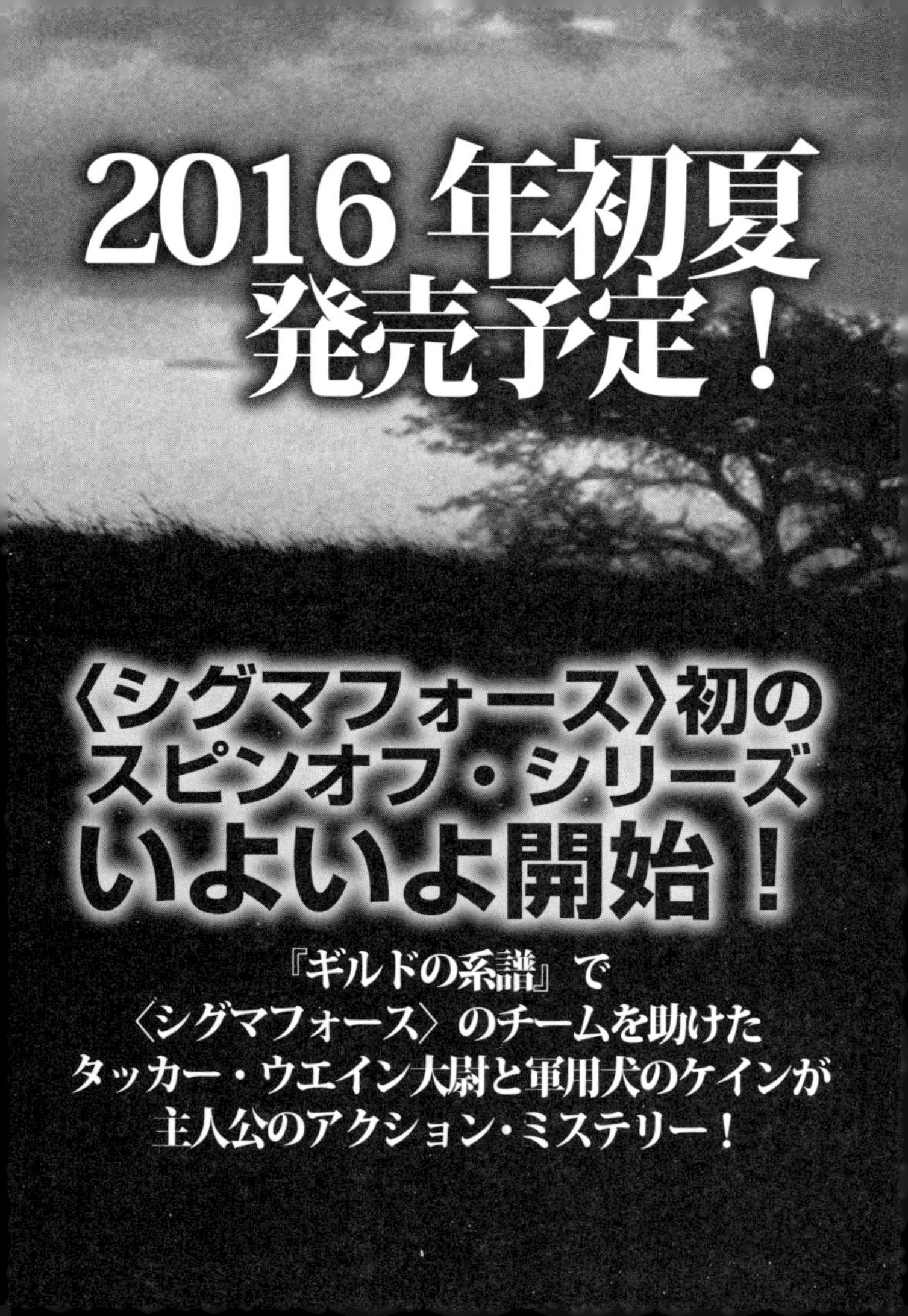
2016年初夏
発売予定！
〈シグマフォース〉初の
スピンオフ・シリーズ
いよいよ開始！
『ギルドの系譜』で
〈シグマフォース〉のチームを助けた
タッカー・ウエイン大尉と軍用犬のケインが
主人公のアクション・ミステリー！

THE KILL SWITCH
キル・スイッチ（原題）

シグマフォース シリーズ８
チンギスの陵墓　下
The Eye of God
２０１５年１１月５日　初版第一刷発行

著………………………………………… ジェームズ・ロリンズ
訳…………………………………………………………桑田 健
編集協力……………………………… 株式会社オフィス宮崎
ブックデザイン…………………………橋元浩明（sowhat.Inc.）
本文組版……………………………………………………… ＩＤＲ

発行人…………………………………………………… 後藤明信
発行所……………………………………………… 株式会社竹書房
〒102-0072　東京都千代田区飯田橋２－７－３
電話　03-3264-1576（代表）
03-3234-6208（編集）
http://www.takeshobo.co.jp
印刷・製本……………………………………… 凸版印刷株式会社

ISBN978-4-8019-0509-2　C0197
Printed in JAPAN